每天美丽一点点 系列三　　**颜随心转，心如菩提**

天下最美是 素颜

一猫一菩提 著

《31岁小美女的养颜经》 作者 **一猫一菩提** 新作

- 所谓养颜，就是养的素颜
- 所谓素颜，就是使我们的容貌、肌肤质本洁来还洁去
- 所谓质本洁来还洁去，皆因我们的身心来自神赐，
  我们唯一要做的就是努力祛除我们身心的烟火气、
  工匠气、脂粉气，让时光回转，风吹草低，美丽自现
- 九大养颜真法，天天活色生香

凤凰出版传媒集团
江苏人民出版社

二〇一二年十二月二十七号阅

图书在版编目（CIP）数据

天下最美是素颜/一猫一菩提著．—南京：江苏人民出版社，
2009

ISBN 978-7-214-05613-9

Ⅰ．天… Ⅱ．一… Ⅲ．美容－基本知识 Ⅳ.TS974.1

中国版本图书馆CIP数据核字（2009）第024047号

书　　名	天下最美是素颜
著　　者	一猫一菩提
责任编辑	柴文静
文字编辑	马　松　李莹肖
图片来源	Getty Images
插　　图	庞　坤
出版发行	江苏人民出版社（南京中央路165号　邮编：210009）
网　　址	http://www.book-wind.com
集团地址	凤凰出版传媒集团（南京中央路165号　邮编：210009）
集团网址	凤凰出版传媒网 http://www.ppm.cn
经　　销	江苏省新华发行集团有限公司
印　　刷	北京市同文印刷有限公司
开　　本	787毫米×1092毫米　1/16
印　　张	14
字　　数	150千字
版　　次	2009年8月第1版　2009年8月第1次印刷
标准书号	ISBN 978-7-214-05613-9
定　　价	28.00元

（江苏人民出版社图书凡印装错误可向本社调换）

目　录

第三篇 送给 MM 们的呼吸、刮痧及风水护颜法

第四篇　自助养颜,粉面含春

天下最美是
素颜

第五篇　素颜芳香调养法

第六篇　天若有情天亦老，人间正道是素颜

后记·找到最适合自己的生活方式才会永远美丽

前言　素颜之美，如来无言

　　这些年裸妆甚为流行，但这是男士们永远也不懂的境界——花了一个小时细细地对镜描画，最后要达到的效果却就像没有化妆一样！

　　男士们肯定会说："那还不如不化妆呢。"

　　不然不然，你看过苏州的园林没有？山石竹木掩映，层次分明，清幽可人，它们都是人工做出来的，但以人力补天工，更显自然。再或者日本的自然派庭院，分明也是人工细细雕琢出来的，只是那人工的痕迹，掩饰得全然不见罢了。

　　猫这本书，就是因为向往女性清淡、不着痕迹的美，故名（天下最美是素颜）。

　　清淡而不着痕迹，是不是就没有雕琢过呢？当然不是，因为猫哕哩哕唆写了这么多，就是教你雕琢的，因为不经雕琢的美玉，顶多是块石头。

　　其实，素颜是一种境界。

　　以天然的食物与量身定制的护肤品：弥补先天之不足，雕琢出不露痕迹的美，这是第一层境界。

　　内外兼修，身心一定会得到老天的加持，自然容颜会呈现婴儿的神采，这是第二层境界。

　　如是，身处红尘却又高蹈于烟火之上的美，才是猫最最推崇的。

　　因此，素颜之美，如来无言。

　　女人都有表露美丽、掩饰丑陋的天性，为何渴盼脂粉？无非是为了掩饰渐老的容颜。如花美眷难敌似水流年，女人借脂粉相助，没有碍着谁。

只是，脂粉的效果太短暂，远不如正确的养生术来得持久。所以，一旦女性通晓了非凡的养生方法，自然青春长驻。即使真的素面朝天，别人还误以为你这"老妖精"化妆技术一流呢。

大多数女人都活得被动，不知晓20年后自己会是什么样子，皆是因为她不辨阴阳，不分五行，起居无常，饮食无节。她说，我不趁着青春时涂脂，难道要等到年华老去再抹粉么？猫认为，她应该换一种想法，你不趁着年青的时候养生，等过了七七四十九，月事绝迹之后，就是碰上神仙，也回天乏力了。

女人过了30，你可以从她的脸上扫描到她的内心。她的心里存留了太多的事，她不能及时清除她的愤怒、忧愁、失落等情绪，她没法卸下生活给她的重压，因此她的脸上也留下了痕迹。每天清晨，女人以为自己暂忘了昨天的烦恼，但是没有。

其实，生活中的每一种情绪都不会自然消除，如果你觉得它们已被淡忘，但真相是：它们从你的身体上找到了出口，所以不再来烦扰你的内心了。

不只是拈花微笑的佛祖，就是随便一个平凡的女子，只要她发自内心地欢喜，那笑颜也如佛光，让身体里的一应阴暗情绪一扫而光。干净的心，可映照出干净的脸。养心，同时养生，则外表美丽。内心安好。

美人如美玉，如切如磋，如琢如磨．任何时候，你只觉她光彩照人，绝看不见雕琢之工。

第一篇　身映自然，让颜随心转

内心静好的女人，自然会呈现"姿容端丽"之相－正如古老的经典中那一句话："你的身体只是庙宇，心是其中的神，神在其中，则庙宇华丽。"

很多 MM 对皮肤的关注，要远远超过身体内部的灯其实女人就是一盏羊皮灯。灯罩上有一点灰尘或瑕疵都不要紧，只要灯开了，那种光芒会让你忽视灯罩的缺陷；若是灯光黯淡或熄灭了，再精致的灯罩也显不出它的美丽来。

猫从不曾感觉自己老了，独家养心秘方是读童话和绘本，一定要大声地读出来："在海的深处，水很蓝，就像最美丽的矢车菊花瓣……"这是《海的女儿》；再不然："鸭子杰玛飞呀飞，看到地下有一大片空旷的草地，旁边长满了毛地黄，正在盛开……"这是《小兔彼得》

境界轻转，好颜自来

内心静好的女人，自然会呈现"姿容端丽"之相。正如古老的经典中那一句话："你的身体只是庙宇，心是其中的神，神在其中，则庙宇华丽。"

✘素颜闪亮，功德馨香

相比漂亮女人，猫更喜欢讨论年轻女人，脸蛋是爹妈给的，除非去动刀子，否则很难有太大改动，年轻则不同，算是后天修来的福分。

要形容年轻的 MM，猫觉得最奢侈的一个词就是：闪亮。猫记得在十五六岁就读高中的时候，偶然与班花 MM 面对面，瞬间就被电到。她的脸算不上特别标致，一样有小雀斑和痘痘，但是，奇特的柔和光芒似乎从她身体内部透出，她的皮肤发光，眼睛闪亮。

十五六岁的时候，先天是灯，那时我们正处于狂热的青春期，身上发出的光芒，是性的光芒。

上了三十以后，不再那样狂热，内心宁静从容，懂得节约自己，知道做省油的灯，一样可以很闪亮，更可以持久，因为，那是心神的光芒。

定然有 MM 误解，说心神闪亮，只因"腹有诗书，气质高贵，让人忽

略她的外表"，一句话，心灵美来的。（呵呵，偷笑。）

心神就是心神，心神就是会闪亮，而且可以表现在外在，让人羡慕不已。

修习瑜伽多年，猫认同瑜伽的一个观点：肾脏的能量沿着脊柱（中医称为督脉，而瑜伽称之为中经）上行，最终成为智慧的能量，而面貌的改变，只是一个副作用而已，即"相由心生"。所以，内心宁静美好的人，自然会呈现"姿容瑞丽"之相。

正如古老的经典中那一句话："你的身体只是庙宇，心是其中的神，神在其中，则庙宇华丽。"

猫深以为然。素颜何需珠光粉底，也不用等待耶稣基督来制造光，只要你说，要有光，于是，便有了光。

哈，定然有 MM 被猫的高深之言给弄晕了。

说到底，猫只是想强调一个意思：我们身体里面那盏灯就是素颜之美的源泉，不管你用什么办法，只要让它一直亮着，你就功德圆满了……

✥ 没有一个女人是先天不足的

很多 MM 对皮肤的关注，要远远超过对身体内部的灯。其实女人就是一盏羊皮灯。灯罩上有一点灰尘或瑕疵都不要紧，只要灯开了，那种光芒会让你忽视灯罩的缺陷；若是灯光黯淡或熄灭了，再精致的灯罩也显不出它的美丽来。

现在，可以让肤色闪亮的东西太多了：可以调亮肤色并带有珠光的粉底、色泽艳丽带有珠光的眼影、腮红和唇彩……然而真正闪亮的年轻女孩太少，卸了妆后，好多都是一张苍白的脸。

身体的明灯在哪里？在先天之本——肾脏。几乎每个人都在其中蕴藏，了无尽能量，随意怀疑自己"先天不足"是很愚蠢的，成年人有一个肾脏正常工作便能生存，而上天竟然还多给了我们一个作为保险。但现实生活中，很多女性都不懂得如何激发自己的能量，有时激发不当，还就上火发炎了。

过于强烈的先天肾的本能，即见利忘义、色胆包天，最易使我们心神不宁。然而克制这愚蠢的本能，只能靠心的智慧。

要制止无谓的竞争消耗，只好时时思考，什么事是生存需要不得不争的，什么事只是虚荣一场，不要也罢。毕竟现代社会形成了精密的分工，只要一处胜于他人，便能生存得很好，犯不着时时与人争强好胜。

时时从拥挤的人堆里出来换口气，找个"夜静春山空"的处所享受一下，当然很好；若不能，翻一本摄影画册，效果也相同；静坐冥想一下静夜春山，效果更佳。

猫从不曾感觉自己老了，独家养心秘方是读童话和绘本，一定要大声地读出来："在海的深处，水很蓝，就像最美丽的矢车菊花瓣……"这是《海的女儿》；再不然："鸭子杰玛飞呀飞，看到地下有一大片空旷的草地，旁边长满了毛地黄，正在盛开……"这是《小兔彼得》。

春天，猫播下矢车菊和毛地黄的种子，等待花开。

像修剪月季一样修剪自己

把艳丽的女子比作月季，最是贴切，外在的艳光会消耗很多能量，所以像月季这样多花的植物，每隔一周或是半个月，便得施肥。开花后，更得时常剪掉徒长的枝条和花朵，积蓄能量等待下一个花季。

过去，猫喜欢家里的植物们随意生长，枝枝杈杈蹿多高也不管。

但奇怪的是，搬回家时很茂盛的月季，一到猫家定居，就开始只长叶不开花，把我这儿当做了自由主义的巢穴。

还有一株超漂亮颇有古风的日本海棠，其时真是花开满枝，受不了春日温暖，枝叶伸得老长，却再也不结新的花苞，每经一场春雨，便"绿肥红瘦"一次，直至变成一棵全无形状的树，叶子四处支棱着，傻乎乎的。

于是，猫生平第一次操起园艺剪给月季剃头，咔嚓咔嚓将枝头开败的花朵、伸得太长的自由主义的枝条剪了个精光，再给这些表现欲太强而营养不良的宝宝们喷上薄液肥。

海棠更是被剪掉了90%以上的新枝，只留下朴实的苍老树干和几枝嫩芽，若它与猫初见时的古风之样。

出门度假了几天，回来发现月季的短枝头上生出很多粉红色的嫩芽，看来它有望成为一棵更健壮多产的花儿，海棠则直接回报我一个艳红的花苞。

过去，猫那辛苦的老公见猫写什么养颜经，也来发表他的高见："我看那些年过 30 而还像小姑娘的女子，无一例外过着单纯的生活，工作也罢，生活也罢，不一定太精彩；若是太逞强，凡事争先，一天工作 10 个小时以上，不管吃什么抹什么，都挡不住老。

还有，奇怪的是，女孩子的时候越是艳丽的，后来也老得越快，让人觉得很惋惜。"

其实，把艳丽的女子比作月季，最是贴切，外在的艳光会消耗很多能量，所以像月季这样多花的植物，每隔一周或是半个月，便得施肥。

开花后，更得时常剪掉徒长的枝条和花朵，积蓄能量等待下一个花季。

算起来，女子也是一月一开花，排卵期前后招摇的艳光，一旦闪过，就只得重新开始休养生息，补充肥料。

此时，光是喝些补品、炖品，显然不够，如果你仍然继续夜以继日地工作、醉生梦死地娱乐，那么身体便会大量消耗能量，吸收、修护能力自然受到抑制，无论吃什么，都没用。

猫建议你，即使忙得四脚朝天，也要像为月季修理残枝败叶一样，梳理一下自己的内心，削减掉那些重复且毫无成效的工作、不必要的购物及聚会计划，为自己做一份高效的工作清单。

用这节省出来的时间，试着过一下慢速的安静生活吧，比如，读一本最爱的漫画，看一部早就想看的电影，和家人在幽美的湖边野餐、嬉戏，在午后的暖阳中发呆……在恬静的心境中，即使天天白米饭，其保养效果也胜过燕窝、雪蛤。

隔壁的新潮妈妈看见布衣素颜的猫，有时在阳台上埋头专心和泥巴，说女人活成这样，真好。

是喔，刚修的新枝，希望不久就能结个新花苞。

每次月事都是养育素颜的好机会

用一半的时间来发烧，这是上帝对偷吃了苹果的女人的惩罚，他说，我必多多增加你怀胎的苦楚，你生产儿女必多受苦楚。让假先知的猫来补充下文——主说：你必从你历练的苦楚中，得到好处。

✂大多数女人都不知道自己身上宝贵的天赋在哪里

现代人因食用过多酸性食物，以及心理压力过大，从而造就了普遍的低体温，一个成年人，甚至三年五载也发不起一次烧来。女人们体温低得尤其厉害，因为她们普遍缺乏运动，又节制饮食，要风度不要温度，为了脸上不生痘痘，不愿去碰任何带"热气"的东西。

其实，偶尔发发烧是一种珍贵的天赋，有助于提高免疫力、使体内经络通畅，排除污浊。而发烧常伴以的咳嗽或腹泻，犹如大扫除之后的清理工作来的。

很多人都发现，生病之后身体虽然虚弱，但略加进补之后，反而感觉精力好了许多，这不就叫无毒一身轻么？

很多人发烧时，体温才会升高。而生育期的女性则不同，她们的体温是以28天为一个周期进行波动，自月经来潮至排卵期前是低温期，排卵期

前体温会降至最低，排卵后体温迅速升高，37℃或以上的高温会持续到下一次月经。也就是说，生育期的女人，一年中有半年是在发着低烧的。

女人们都痛恨这噩梦一般的月事，感觉它脏、痛以及烦恼。

其实，要这样想才好——月事脏，是因为它从你体内排出了脏的东西，你因此成为一个更洁净的女人。如果能够善待它，并借它的助力，则每个月你都有一次更新自己的机会。

中国人都说：月子病月子治，又说女人如果月子坐得好，身体反而会变好。

为什么要叫坐月子，与其说要坐一个月，不如说，每次月事都可算作一个小月子，都是身体变好的机会。女人比男人平均寿命高出几年，全赖于此。

✤享受身体里的炼狱之火

用一半的时间来发烧，对女人来说，不是一件轻松的事，如同被一炉低温的火不停地烧灼，你因此而烦闷、抑郁、痛楚，更感觉不洁。这是上帝对偷吃了苹果的女人的惩罚，他说，我必多多加增你怀胎的苦楚，你生产儿女必多受苦楚。

其实上帝有很多话未曾明示：你这愚鲁的人啊，不再受炼狱之火熏烤之时，意味着你已经不是一个女人啦。

让假先知的猫来补充下文——

主说：你必从你历练的苦楚中，得到好处。

人的身体就像房子，当然要经常打扫一下，不过主妇们应该都对清洁工作的繁杂有所体验，是的，总有些死角来不及清理或忘记清理，最后，家里的杂物越来越多，你甚至不记得它们放在什么地方。一个地方住的时间越长，清理起来越会望物兴叹，要让这旧房子恢复当年的"极简现代风

格"，最好的方法就是"买栋新房子"。

就算每个月都发烧清理，人老了，这老房子的杂物不见得就能清理干净。所以，上帝要安排你发一次更为漫长的烧——让你生育以及哺乳，这一次的高温期可能要持续两年或以上，让老房子彻底旧貌换新颜。

只要你善用这次养育素颜的良机，31 岁甚至 41 岁、51 岁，依然可以称作小美女喔。想象一下，几年后，你和女儿一起逛街的情景（如果你有女儿的话）——

"小妹妹，这是你姐姐吗……"某帅哥店员悄悄问。

素颜是神造的
——美丽，要听从体内温度周期的安排

> 猫很怕发生星球大战，外星人占领地球后抓来几个美女，端详一番："唔，这动物这么皮光水滑，宰了剥皮煲汤，一定滋阴补气、美容养颜……"

猫一直说，养颜要做到天人合一，无论春、夏、秋、冬，都要爱护自己的皮肤与容颜。

可是怎么爱护呢？

根据气候与温度的变换随时调整自己的养颜方案呗！

该吃的时候就吃，该睡的时候就睡，该恋爱了就去无怨无悔地爱上一场，不要让美丽随着季节的变换而流逝，莫待无花空折枝啊。

认真算起来，一年是一个大周期，一月就是一个小周期。

年周期：秋冬之际最宜进补，那时你也比较有胃口，春夏则要工作、游玩、谈恋爱。

不要试图在热得要命的天气里吃阿胶或是猪蹄汤，你的脾胃会因此大受其害。

门周期：每个成熟的女人都应该有一支精确的体温计，来监测自己月经周期的基础体温变化。

这不仅可使你更了解自己的身体，也能预测到一些潜在的疾病。

一天的温度变化也好，一年从三伏到三九也好，我们的身体基本上是不吃那一套的，体温不会有太大波动，只有月周期最为明显。

此时女人们的体温会有 0.7℃甚至高达 1℃的变化。

从月经来潮到排卵期，女人的体温会从 37℃以下降至 36.5℃以下；从排卵期到下一个月经来潮则相反。

这是一个真正的体内温度周期，补或排完全要听它的指令。

温度下降时，放胆去喝"漂着油花的鸡汤"吧！

你的身体需要它们，把更多的激素，更沉缓的心情、更深沉的睡眠储存起来，呵呵，为了生宝宝的。

随着体温越来越低，你的身体也越来越黏，到了排卵前夕，你面如桃花，肤如凝脂，水当当的，却并无一点多余，仿佛一个做得刚刚好的果冻，可以去勾搭孩子他爸爸了。

排卵了，国家准许生一个，但你没生，不需要羊水、乳汁，子宫也不需要增生内膜血液。

这些多出来的资源处于"等待排泄"的状态，你要把它保留起来么？

绝对不要，美丽虽转瞬即逝，但无需刻意挽留，你们会在下一个路口重逢。

　　身体是神造的，它早就做好了准备，升高体温，准备融化掉你这果冻，把多出来的水排出去。

　　水多了，血多了，脂肪也多了，导致很多女人在月经前夕，腰围会比平时大一两寸，全身有轻微浮肿，脸部色斑加深，那是瘀血现象。

　　这时就不要补了，要泄。

　　泡澡、运动都可以升高体温，也可以喝温酒、姜茶、玫瑰茶等一应舒肝解郁之物，做按摩刮痧也是很好的时机。

　　旧的不去，新的不来，不是么？

跟着身体的节奏滋阴养颜

> 猫的进补原则是：跟着身体的节律走，而不是唱反调，试图控制身体的影响。隔两三天喝雪蛤一小碗，或是蜂王浆一平勺。

❋只有深度的睡眠才是真阴

众多滋阴养颜的方法中，有喝靓汤的，有摄入各种胶原的，也有一些养血的中药，其中雪蛤或蜂王浆，可谓极阴。

阴，可理解为减少消耗，增加储存。

人这种动物，不是吃什么就得到什么。

医学里讲的消化和吸收，是两个词，像吃糖，吃下去血糖立刻升高，体力立刻恢复，消化了以备立时之用，便是助阳的食品。

脂肪则不同，存在身体里，跑步不跑上几大圈，它们是不肯出马的，它们是储备的东西。

吃下东西若能储备，就算是吸收了，因此，脂肪类算是滋阴的。

我们喝鸡汤、猪蹄汤滋阴时，是很难避免其中的脂肪的，雪蛤更直接就是油，也称"哈士蟆油"。

脂肪并不是什么可怕的东西，只要维持良好的代谢，就不会出乱子。

进补时间为月经结束至排卵期前后，此时也是人体生成雌激素的时间，猫的进补原则是：跟着身体的节律走，而不是唱反调，试图控制身体的影响。

隔两三天喝雪蛤一小碗，或是蜂王浆一平勺。

这大概是猫推荐的方法里见效最快的一招，你要顶住诱惑不要盲目加量，也不要吃太长时间。

这阵子是女人滋阴养颜的黄金时间，该谈的恋爱该调的情都要抓紧。

另外，在睡前服用，保持宁静的心态，这也很重要。养阴的东西，就是一个关键字：储存。

人一天都在做消化、吸收及修护工作，只有在睡眠中才会安静下来，所以才说女人的美丽是睡出来的。

说到底，只有深度的睡眠才是真阴。

❧ 善用能量，使你的花期无限延长

吃了一个多星期了，花也开够了，该来的果子……国家也不让再来一个。

残花在枝头，不但招虫，且浪费能量。

那些积聚的能量没什么好去处，它们会让你乳腺增生或是子宫肌瘤，最好的方法是：剪掉。

在经前一周，一定要喝点猫强力推荐的桃花白芷酒，要不，喝点玫瑰花茶、益母草茶也行，吃点逍遥丸也行。

此外，还要大量补钙及维生素 B 族来平息压力，减少粗大毛孔及痘痘发生。

此时并不宜进补，因为身体处于向外排泄期，涂太多保养品会导致毛

孔堵塞。

到了经期末，则应服用以补血为主的食品了。

按照自然法则，性欲强的生物更容易在生存竞争中胜出，而万物之灵的人类，为全部物种中极端好色之徒，却只让生一个孩子，不晓得多少白白耗费的能量，外向变成了暴力、事故，内向变成了内心的冲突和牙痛、痘痘。

但善用这些能量，却能使女人的花期延长，或可成就无限量之梦想。

任何时间都可以养颜

> 爸爸赖在躺椅上，小蔷薇赖在爸爸怀里，鸭子赖在爸爸脚下。爸爸吃橘子，小蔷薇吃糖果，妈妈吃晒干的盐水花生，鸭子吃蜗牛……

周末，猫上花鸟市场，买回来一只黄毛小鸭子给女儿小蔷薇做伴。

鸭子尽管刚出蛋壳，却远比人懂得，什么日子最舒服。

它永远待在海棠花下晒太阳，如果有东西吃，它就吃饱；无聊，就晒太阳睡觉；太阳一落山它回到小窝里，就立刻闭眼呼呼呼……

猫看着小鸭子，看着自己称不上庭院的小露台（一直在说什么时候有个院子了就过田园生活的），才知道田园生活其实触手可及：鸭子、海棠、青花瓷盆，还有阳光下懒洋洋的生活。

于是，全家人都向鸭子学习，没事就待在露台上。阳光暖洋洋，刚浇过的花带着闪亮的露珠。有一点鸭便便和泥巴的气味，混和着草香。爸爸赖在躺椅上，小蔷薇赖在爸爸怀里，鸭子赖在爸爸脚下。爸爸吃橘子，小蔷薇吃糖果，妈妈吃晒干的盐水花生，鸭子吃蜗牛。嘿，瞧你们这幸福的一家子。

常有朋友问猫：你是怎样做到天天开心、素颜常驻的呢？

猫总是回答，就是这个。晒晒太阳，看植物生长开花，闻泥巴的味道，偷窥一下动物偷懒的样子，比什么都养心，更养颜。

晒太阳会把女人晒老么？

夏天的太阳会，而秋冬的太阳简直是黄金。

总有人想着在阳光下待多了，好容易补进去的水分就晒干了，变成蔫萝卜干了。所以整天待在室内，怕俏脸见了一丝丝太阳。

劳驾，萝卜干是死的，人是活的，若是萝卜莱，到太阳下晒一下，那是越晒越精神的，人和植物一样是有根的，只有太阳才能使收藏的精气上升。出了太阳，森林上面就会有云朵，人脸上也会有水润和光彩。

猫言猫语

> 最好是晒背后的督脉，此为一身阳气之海。偶然晒脸也绝无问题，且猫并未用防晒用品喔。

晒过太阳四五天，早上起来你肯定不认得自己的脸——粉而且白，完全没有了东方女人惯有的黯黄。要知道东方女人大多体质寒，寒则水湿重，身体水分代谢不利，人就变成黄脸婆了。

在一年的其他季节，现代女性也普遍为低体温所苦。因为人体在松弛时温暖，紧张时则收缩、寒冷。现代人长期处在紧张状态，若这种状态无法消除，则脸部的黯黄也难以摆脱。

猫曾用过各种方法解决身体寒冷的问题，比如暖食、泡澡或运动，总觉得当时暖和起来了，体质却没有明显改善。晒过太阳后却不同，可以在太阳下山后很久，仍觉得全身暖洋洋的，甚至睡眠也会有所改善。

这温暖而令人暖洋洋的太阳，你可以经常亲近它，它会令你松弛和温暖下来，让你激情重生，脸上光彩再现。你看欧美人，一至假日，便会跑到海滩上晒几天太阳，真是明了人生真味啊。

第二篇　素颜隐于厨

说到底，活在世界上，要远离人间烟火，不大可能。居于烟火中，不沾烟火味，却是容易的事。女人这张脸，到了三四十岁，说黄了就黄了的，不能只怪罪油烟。猫至今厨龄十年了，朋友圈中典型的煮妇，依旧粉面佳人，奈何？

燕窝确为滋阴圣品，因它是燕子的唾液来的。但燕子的唾液，怎能和人自己的唾液相比？口水乃我们的血气养成，十分珍贵。终日唠唠叨叨的女人，简直是在和自己的身体过不去。

月经干净后的低温期，被称为皮肤的"出席盛典期"，此时多多进补吧，不用格外去购置什么高档保养品，关键是身体要清理干净，才能吃什么都补。

女人一生的最佳进补方案

> 每个人都有对付自己发低烧的一套方法，它用于经前也十分合适，但最根本的原则就是：要使自己足够保暖，多穿一件衣服，喝热平平的东西。

✕← 离月经越近，越不适于进补

女人每个月有 14 天，特别是经前的 7 天，会有像真正的低烧一样的感受，此时体温的上升导致肝火渐旺，并祸及脾胃，吃一些糖或巧克力是有用的，因为扫除工作需要高能量。

如果不想吃，也无所谓，低温期你应该吃进了不少东西，储存了不少能量，现在你要用掉它们了。

有些 MM 在经前会觉得头痛，有些会觉得腰酸，有些会有腹泻现象，但心情烦躁却是普遍存在的。发了近半个月的低烧，身体四处扫除瘀血、寒湿、污浊，凡有不通处，就会不舒服。如果不是发一次烧，甚至你不会发现身体里有哪些死角，也没有能量去扫荡它们。身体里那些存放太久的脂肪终于燃烧起来了，它们要给新鲜的营养让位，因为让素颜 MM 们"肤如凝脂"的是新鲜的油，而不是存放了好几年的肥油。

每个人都有对付自己发低烧的一套方法，它用于经前也十分合适，但最根本的原则就是：要使自己足够保暖，多穿一件衣服，喝热乎乎的东西。

猫言猫语

有一个很简易的方法，也可以使低烧烧得更彻底：冬天超市里有卖一种可以贴在衣服上的目口热贴，贴一个在肚脐下丹田之处的内衣上，这样小腹就会始终保持温暖。

离月经越近，越不适于进补，高温激发出来的能量已经完全替代了肠胃吸收的能量，想法子发发汗是比较好的。

比如蒸桑拿，低温期不要做这种消耗太多水分的蠢事，高温期则相反。

高温瑜伽，猫也不建议你经常练习，因为出汗太多，损耗阴气，更添心火，但接近经期就十分适合了。泡热水澡，就更不用说了。

少吃冰、凉茶、碳酸饮料、咖啡及所有让身体变冷的东西。

把精制糖，也就是那些看起来很小资的咖啡调糖、方糖、细砂糖从餐桌上扫除掉吧，越精制的糖，含矿物质越少，越会使身体变凉，最好的是粗粗的朴实的红糖。

有人说，女人不可百日无红糖。我说，一日不可无它。

盐也同理，精制盐只有咸味而已，粗盐、天然盐则有能使身体暖和起来的丰富矿物质。

月经过后是皮肤进补的盛典时光

事实上，高温期之后，你憔悴、脸色灰暗、细纹加深，整个人看上去很不饱满，就像真的发过烧一样。为了给身体做一次大扫除，为了清扫得

更彻底一些，消耗了你大量的阴血，没有了它们的支撑，你这副皮囊看上去有点松松垮垮的。

有痛经经历的 MM，经前若受了凉、受了气，上了火，之后的痛经就会特别厉害，因为那一次要排出的污物太多。

为避孕而放环的女性，也会有经量太多、腰痛的症状，身体不欢迎异物，子宫会加紧收缩力图将它们排出，为此付出的是血的代价和素颜的扭曲，猫最反对这种避孕方式。

为了节约这扫除用的阴血，平时真应该好好爱护自己，避免受凉，调节饮食，更要放宽心胸。这也是要实现素颜之美的前提条件喔。

月经干净后的低温期，被称为皮肤的"出席盛典期"，此时多多进补吧，不用格外去购置什么高档保养品，关键是身体要清理干净，才能吃什么都补。

花生芝麻、海带豆芽，燕麦荞麦，都是这阵子猫很喜欢吃的东东。过去只偏爱皮冻类食物的，现在有了更多的选择，比如在粥里加入燕麦，就能做出市售的八宝粥那样黏黏的口感，既补阴益气，又十分可口。

最近更喜爱海里淘宝，海产中不但补阴血的东东多多，而且热量极低，鱼翅、海参那些猫吃不起的，鱼皮或海蜇就很好，再有，紫菜、海带、海白菜、海石花、海底椰，都是水汪汪很有 QQ 果冻感的食物，能迅速补上咱们空虚的皮囊。

如此一来，也就离水润娇媚更近了一步，打好这个基础，MM 们才有可能达到"清水出芙蓉，天然去雕饰"、无妆胜有妆的素颜境界！

偷人不敢，偷花养颜——桃花白芷酒，赠人好姿色

经前一周女人身体血气多有凝滞，也会有轻微水肿，这个星期皮肤状态一般都不会很好，喝一点点活血、利水的桃花白芷酒，好朋友就会来得比较顺利，好朋友走后，MM们的脸色就会好起来了。

❀烟花三月陌，偷得枝头俏

阳春三月赏花季，踏遍青山看桃花。其实，看花是个幌子，偷花才是真的。

猫拎着个小布口袋，在花丛里扫荡，逮着无人的空子，看哪个枝头上有将开未开的艳丽花骨朵，便摘下来扔进口袋。

本次扫荡的目的：回家泡制春季养颜必饮的桃花白芷酒。

老公在后紧跟，一边提醒嚣张的猫，扫荡的时候目标分散点，别被发现了，要挨罚款的。

那当然了，漫山遍野的桃花，要专挑一棵树偷，偷得那树跟谢顶似的，那还不挨逮啊。偷东西其实很有快感，回家的路上猫的眼睛贼亮贼亮的。

算起来，猫算是好女人、贤妻良母来的，好好工作，好好做家务，好好带孩子。但现如今，好女人简直就是无趣的代名词，连自己也觉得生活

有时相当无趣，所以偷点东西。偷钱犯法，偷人不敢，偷几朵花，权当过了瘾。

想起过去背《刑法》的时候，有一款是记得最清楚的了：自动中止犯罪而未造成损害的，应当免除处罚。（大意如此，非原法条。）

所以，犯错误的时候，不要破坏太大，并随时作好放弃犯罪的准备，嘿嘿……

偷完花，于是去买酒，56度的二锅头一大瓶，很是豪爽。其实对于关注养生塑颜的女人，老是馋酒也有犯罪感的。在酒里加点香料，酒鬼的形象则改进很多。

将桃花和白芷放入白酒中密封，一个月后即可服用。

这个配方是猫查了一些资料，自己总结出来的。网上盛传的配方是桃花250g，猫一看就觉得有疑问，桃花干品非常轻，若是250g，好大一堆呢，1000ml白酒简直泡它不下，而这样多的花，却只配30g白芷，配伍显然很不合理，若是25g，则差不多。想来250g必是笔误，然后以讹传讹。网上的抄袭之风，可见一斑。

桃花白芷酒（1000ml）

成分	用量	说明
白酒	1000ml	其实，不必非要用二锅头，普通白酒就可以啦。
桃花	25g	一定要晒干哦，没有犯罪嗜好的MM可以直接到药店里买。
白芷	30g	一般药店里都有卖，店员还可以帮你打成粉。

桃花白芷酒，人面相映红

为什么桃花白芷酒为春季必饮？听猫慢慢说来。

春日多风，正是肝气最旺之时，加之紫外线强烈，空气湿度高，MM 们面部的色斑有蠢蠢欲动的趋势，这坛好酒中的桃花得春气之盛，能利水、活血、通便，善于除旧布新，可使 MM 们面色娇艳。

《神农本草经》说其"令人好颜色"，《千金方》用它研末浸酒服，取其能"令人面洁白悦泽，颜色红润"之效。再配上气味芳香的白芷祛除头面之风，香醇白酒助行药力，对春日好发的黄褐斑效验如神。

以猫个人的经验，此酒无需常服，因桃花有轻泻之效，服用太多则损耗阴血；也万不可用它来减肥，最好的闹酒时机是经前一个星期。此时的女人身体血气多有凝滞，也会有轻微水肿，这个星期皮肤状态一般都不会很好，会比较暗沉无光泽，喝一点点酒活血、利水，好朋友就会来得比较顺利，再佐以补养血气的饮食，好朋友走后，MM 们就会"人面桃花相映红"了。

才 20 天，猫的桃花白芷酒就提前开封了，酒里的桃花早被泡得花容失色，加上好朋友有到来的趋势，脸上的痘痘蠢蠢欲动，只好提前开酒来救急。

问猫酒味如何，天，一个字，辣；两个字，很辣；三个字，辣死了。56 度的二锅头，不是随便谁都敢喝的，只好放进微波炉，转上几秒，挥发掉一点酒精，这才能入口。

猫言猫语

MM 们可以在经前一周内早晚各喝一小盅，20ml，左右即可。

— 34 —

面部斑点比较厉害的 MM 可以用一小盅酒，先放在微波炉里加热，再置于手心按摩脸部皮肤。因为酒精会刺激皮肤，加热则可以挥发掉一部分。

入口也压根儿没敢品，咕噜一口吞下。喝下之后才感觉到香，真的很香，是白芷的香味，连打嗝都是香的。

春日虽好，却多风邪，多湿热，因此用香料白芷驱头面之风，化脾胃湿浊。

风水顺，痘痘消。喝过酒，在杯子里兑上水，依然觉得极香，于是再喝一大杯水，捧着杯子闻了又闻，过瘾……

口中自有美颜方

燕窝确为滋阴圣品，因它是燕子的唾液来的。但燕子的唾液，怎能和人自己的唾液相比？

口水乃我们的血气养成，十分珍贵。终日唠唠叨叨的女人，简直是在和自己的身体过不去。

✄枸杞嚼着吃才最滋补

在猫小时候，家里的老人提起枸杞，总带有敬畏的语气。说起家里的一位老伯，患胃癌晚期，本以为时日有限，谁想最后竟活到了80多岁，天年尽享。

老伯的秘方，就是枸杞，他说每日闲来无事，便取枸杞数颗，放在嘴里，嚼啊嚼啊不停地嚼，一直嚼到唾液满口，才一气咽下肚去。

老伯甚至总结了自己悟出的道理，说汉字"活"，就是三点水加上一个舌头，也就是说，舌头有了水，人也就活了。

现在猫也经常含个枸杞过瘾，越嚼越觉得中国字所含的智慧，真是不可思议。人在舌头很滋润的时候，和口干舌燥时候的状态，真是没法比。

之所以要含个枸杞，因为枸杞在传统中医里，称得上保健圣品，有补

肾益精、养肝明目、补血安神、生津止渴之功。而且，上好的枸杞，嚼起来清甜，是其他水果都不能及的。

细嚼枸杞，轻启樱唇，慢摇贝齿，眼睁睁地看着你变成天之娇女。

自己的口水比燕窝好上千百倍

不过，好吃的枸杞，只是一个引子，我们为它而分泌的唾沫，才是货真价实的保健养颜圣品。

人总是珍惜那些不易得到、有精美包装和价格不菲的东西，却认识不到自身的无穷宝藏。

唾液乃气血所化，它灌溉脏腑、滋润肌肤、流通百脉、补养后天之气，称其为人体真阴，绝不为过。

科学家发现，腮腺能分泌一种激素——腮腺激素，它有调节机体钙离子代谢和促进骨牙齿发育的作用。更奇妙的是，这种腮腺激素能强化肌肉、血管、结缔组织的活力，尤其是能强化血管的弹性，活跃组织的生命力，使皮肤的弹性得以保持，故猫称它为"保持年轻的激素"。

动物在生育幼仔之后，便会不停地舔抚，而受伤之后，更懂得不停地以舔来加速伤口愈合。因为唾液中含有珍贵的蛋白质——表皮生长因子，能促进细胞的增殖分化，使新生活力的细胞代替衰老和死亡的细胞。

当下的女人为了驻颜，绝对是不惜血本的，非常珍贵和昂贵的燕窝，也会经常来上一碗。燕窝确为滋阴圣品，因它是燕子的唾液来的。但燕子的唾液，怎能和人自己的唾液相比？更何况，燕子妈妈分泌唾液筑成燕窝，是为了抚育自己的小燕子，人一而再再而三地偷走它们的小窝，燕子妈妈只得反复筑巢以至吐出血来，成为珍稀的血燕。

人自己若因灾害失去小家，一定悲伤不已，却不懂得悲悯其他生物的舐犊之情。因此，富有爱心且爱惜容颜的 MM，不如换用猫的燕窝替代

之法。

女人们有着天生的灵感，她们也需要更多的阴液，因此女人们多喜欢保持"口水多过茶"的状态。

喜欢看江南女子，樱桃小口中总要含着一颗橄榄，或是腌渍过的梅子，不会像男人那样大口咀嚼，不时在嘴里换个方位，很优雅的样子。

也喜欢四川的MM，餐前总是要来碟小泡菜的，萝卜、黄瓜或是笋尖，脆生生的口感，加入一点红油一拌，呜啊，猫写到这里就口水多过茶了，忍不住要扔下电脑去搜索家里的泡菜坛子。

相比男人，女人们都会花很多时间吃零嘴，花半个小时去对付很麻烦的小核桃，或是折腾一碟小小的奶油瓜子，简直不晓得花那么多时间能吃着什么，其实，都是在吃自己制造的燕窝呢。

相比其他口味，大部分MM都偏爱酸甜口感，因这两种口味，更能使她们"口水多过茶"，也即补足阴液，中医谓之"酸甘化阴"。

✗️浪费口水是养颜之大忌

我们终其一生都在服用自己生产的"燕窝"，使自己"活"得很滋润。只是现代生活偶尔会使"燕窝"产量下降，不能不警惕的。

我们进食总是很匆忙，或者忙于应酬，或者边干活边胡乱咽下工作餐，由于缺乏对食物的敬重，使我们只是在吃饭，而不是吃"燕窝拌饭"。

除去自家老婆煮的私房菜，餐馆的菜和超市的食品都过于迎合大众口味，不但口味太重，更大量使用香辛料，吃这样的食物，MM们就得动用自己身体内宝贵的水分来中和。

浪费口水是女人的通病，也是养颜大忌，口水是我们的血气养成，十分珍贵。以不停说话为职业的人，比如导游或教师，常感觉说话比体力活动更令人疲乏，除咽喉炎外，他们也容易出现上火及皮肤干燥。

猫有位女友是大学老师，每天上课数小时，这些年不仅皮肤干燥过敏，发际线更是上移很多，头发变得细少。发为血之余，真是其言不谬。

所以，终日唠唠叨叨的女人，简直就是在和自己的身体过不去。整天吵吵嚷嚷聒噪个没完，绝对是外伤夫妻感情、耗自身水源的不智之举。恬静的女人，不但外人看了养眼，自己也会觉得中气十足，十分滋润。

对了，猫再额外奉献一个唾液的外用养颜方。

明代养生家冷谦的《修龄要旨》中记载："颜色憔悴，所由心思过度，劳碌不谨。每晨静坐，闭目凝神，存养神气，冲胆自内达外，以两手搓热，拂面七次，仍以漱津涂面，搓拂数次。依按此法，行之半月则皮肤光润，容颜悦泽，大过寻常矣。"（这样简单，无需翻译了吧！）

陌上柔桑破嫩芽——扶桑至宝豆浆

> 平实之物，就应了平日饮食，天天吃，年年吃，细水长流，不觉时日之逝，只得意于来日方长的镜中之美。

先说明一下，猫家的豆浆，可不是一般的豆浆，是从一个养生古方中变出的，可称之为"扶桑至宝"豆浆。

人上30，就开始摒弃一些华而不实的东西，感觉那些家常、朴素而日夜相伴的东西，反倒最为贴心。

比如，看到黄豆、大米或是薏仁、紫苏，想起它们在菜市场里何等自在，进了俺的肚子何等滋养，一旦被发现可用于护肤品，被装入华贵的瓶子里，想必……会寂寞吧。

猫的豆浆，便来源于最为平实的食品：桑叶，以及芝麻。

《保生要录》中，有一味"扶桑至宝丹"，是以嫩桑叶晒干研末，1斤桑叶末加4两黑芝麻，煎为浓汁，加入蜂蜜炼为丸药，称其"驻容颜、乌须发、补髓填精、祛疾延年"。

这些年，燕窝、鹿茸都未曾放在心上，唯独对桑叶视若至宝。

桑叶性极平和，不冷不热，不燥不湿，补血益阴，祛风除湿，有人如此赞它："蚕食吐丝，织成锦绣，人食生脂，延年除咎。"

而芝麻，更是被道家赞许为长生不老丹来着。

炮制丸药过于麻烦，猫不是泥古的人，喜欢一切有用之物，方便着使。

于是，桑叶、芝麻加上黄豆，进了我的豆浆机，榨出兼有桑叶清香、芝麻浓香的豆浆，扶桑至宝啊，每日来一大壶。

偶尔也会有芝麻入馅、桑叶末入面的扶桑至宝芝麻包，再或者，以桑叶茶煮制的扶桑至宝芝麻糊……自然不会像吃了人参、鹿茸那般补得睡不着觉。

平实之物，就应了平日饮食，天天吃，年年吃，细水长流，不觉时日之逝，只得意于来日方长的镜中素颜之美。

甜蜜透心凉——体贴夏季肠胃的花样菠萝餐

猫的至爱是菠萝汁：菠萝一块，加少量盐和冰块，放入果汁机中打碎就可以。不用过滤，这个季节菠萝含水量特丰富的，打碎之后几乎不会有果渣。饭后喝，犹如给肠胃做清洁一般。

夏天我们总感觉亢奋而又疲惫，越是在消耗大的时候，越是无法补给。其实夏天正是满足口腹之欲的时候，因为这时候比较不容易发胖啦，哈哈哈。

猫在这个季节有个珍爱的好宝贝，就是菠萝，不但是肠胃，就连皮肤也很需要它。

气温高的时候，感觉什么都很油腻，不单吃肉肉觉得很油腻，整天里都觉得皮肤泛油光，不停地用吸油纸擦也不顶用。

此时MM们需要强力解油腻的好东西，它就是菠萝中特有的菠萝酵素。菠萝酵素又叫做菠萝蛋白酶，顾名思义，是用来帮助消化肉类蛋白的好东西。

猫言猫语

想要减肥的 MM 们，夏日可以每天来一杯菠萝汁，既美白又美味。有一点上火的 MM 们，也可以在果汁机里再加口一块苦瓜，菠萝的芳香甜蜜会盖过苦瓜，这种微苦的果汁反而别有风味。

解肠胃里的油腻，吃美味多汁的菠萝果肉就可以，加入菠萝炒的肉肉，特别体贴夏天里疲惫的肠胃，好像菠萝鸡肾、菠萝牛肉或是盛装在丰个切开的菠萝里的菠萝炒饭，酸酸的口感让人觉得肉肉也不那么难以下咽了。

如何掌控身体里的水——女人与水共舞的秘密

> 若是大口大口地喝水，就可能会像大水漫灌的稻田，搞得水土流失；要是排水不畅，内涝也很麻烦。而加了这一勺粉末的水，就像用了滴灌或缓释技术，庄稼们都长得水灵灵的，细水长流的生活也不会增加肾的负担，不会有碍心神的闪亮。

这段时间，猫过着像尾巴着了火似的忙碌生活，油锅里在冒烟，小蔷薇却皱着小眉头站在一旁尿湿了裤子，简直不知道该先救火还是接水才好。就这样，还是挤出一点可怜的睡眠时间，煮玫瑰冻。

把用糖腌制的玫瑰酱用水化开，再用过滤网过滤掉花瓣，倒进电锅煮开，然后加入果冻粉调匀，冷却后放入冰箱冻起来。

尽管麻烦，享受的一刻却很奢侈，漂亮的凝冻在透明的玻璃碗里，色泽绯红，口感滑嫩。猫边吃边幻想，何时有这样美丽的水当当皮肤？

"想要皮肤水当当的么？那就一天8杯水吧！"像这种胡诌，猫早就不信了。

水这种东西，是不可捉摸的，不是喝了进去，就能跑到想要水润的地方。女人是水做的，有些是墨水做的；有些是口水做的；有些是油水做的；更有些是一肚子下水，就是脸上没有水。像这样的天吧，毛孔粗粗的，脸上油油的，偏干的地方照样起皮。狂喝水，却是不上脸的，搞得整天都在上厕所。

其实，水这种东西啊，用两种方法是可以掌控的：

一种是阳光，有了温度，水分自然向上走，暖和起来的身体，有更充分的循环，自然可接纳更多水分，就好比市场的交易一频繁，央行就得发行更多的货币进入流通一样。

所以，晒个太阳，活动一下或是泡个澡再喝水，就是不一样。若是没有了阳气，水分就显得很冷很多余，留住漂亮女人的地方，一定有很多帅哥。

可是天气一天天热起来，阳气十足了，为什么脸上还是不够水当当？

因为还少一点管束水的魔术。

水这东西，动来动去的，要让它们随方就圆地听话才好。比如，一勺子果冻粉，立刻就使水凝固，猫再将它们灌入模具，又变出螃蟹、海贝、小熊各种形状来。

若是大口大口地喝水，像大水漫灌的稻田，搞得水土流失；要是排水不畅，内涝也很麻烦。而加了这一勺粉末的水，就像用了滴灌或缓释技术，庄稼们都长得水灵灵的，细水长流的生活也不增加肾的负担，不会有碍心神的闪亮。

总结一下，水这种东西并非越多越好，听话的水才好，对素颜的养成才有画龙点睛之妙。

尽量从食物中找到滋阴的感觉

> 只有我们收服了水，才叫滋阴。那些我们极爱吃的滋阴之物，什么燕窝、银耳甚至泥鳅都是黏黏滑滑的，要的就是这黏滑劲。

猫用的果冻粉，在我们这边叫做凉粉，是一种植物的种籽榨出来的，而市面上卖的果冻，则多半是用琼脂或是鱼胶粉制成的。琼脂是一种海藻提取物，而鱼胶则是动物蛋白，不过效果都一样，都是用来管水的。琼脂和鱼胶都几乎没有热量，但含有大量的纤维和蛋白质成分。

我们身体里的水分，是属阴的，那些过路的水当然不算，它们只当我们的身体是下水道来的。

像这样着了火的天，猫尾巴着了火的生活，唯有狂唉一碗固体水分放在肚子里缓释，人才清凉得下来。

也不止是吃果冻，这东西毕竟填不饱肚子的，其他的食物，猫也尽量找到果冻感觉，想喝菠萝汁的，改吃菠萝冻；想喝茶的，改吃茶香果冻；咖啡变成咖啡冻漂浮在牛奶里也很有感觉；猪蹄冻加上醋和香菜，否则这样的天谁想吃肉？还有鱼鳞冻，猫最爱吃的便宜小点。

还有天然的果冻，比如银耳汤，再比如海带和海白菜，也是浇上了醋和辣椒，QQ的口感就像在吃果冻，既解了馋，去了暑，又顺带养了颜。

三美具矣。

自由基是素颜的天敌，杏仁就是它的克星

> 也许美女们在夏天一点吃肉的心情也没有，但甜甜香香冰凉的杏仁豆腐，绝不会让你感觉现油腻的。除去美容的功效外，杏仁豆腐还另有滋阴去火润肺止咳的功效，家里有老人孩子，天热上火、咳嗽，喝一大碗杏仁豆腐，立即生津止咳，真是"爱的"豆腐来的。

如何把自己修炼成"杏仁豆腐西施"

号外号外：猫又来吹嘘其他好吃的果冻了！不然同一种口味吃多了，多腻味，呵呵。

这些天的新宠，是爱的杏仁豆腐，之所以在前面加上"爱的"，是台湾养生专家庄淑旂博士在她的书《怎样吃最健康》当中的说法。杏仁豆腐甜蜜、美味、对身体也很有益，最重要的是，做起来特麻烦，妈妈是因为爱，才会不厌其烦做给全家人的。

小时候吃过的甜蜜而滑嫩的杏仁豆腐，再也无处可寻。自己做吧，杏仁要去皮、磨浆、过滤，再加入凝固剂煮，爱是够麻烦的。

懒猫最终找到了最简单的爱——

说是极简版，就是豆浆机版来的，把杏仁扔进豆浆机，过10分钟直接

简爱版杏仁豆腐

成分	用量	说明
去皮切片的杏仁	100g	猫在沃尔玛买到的，其他超市应该也有卖的吧。
冰糖	适量	那种大块的老冰糖效果最好，至于放多少，你可以根据自己的口感而定。
凝固剂	10g	果冻粉、琼脂、明胶均可。

倒出煮透过滤好的杏仁浆，趁热加入碎冰糖及凝固剂，搅拌至冰糖融化，即可待凉后放入冰箱冰镇了。

成品比豆腐漂漂得多，纯白而半透明，香香甜甜QQ的，带有浓郁的杏仁香。猫若去开个甜品店，生意一定火暴，并可自称"杏仁豆腐西施"来的，嘿嘿……

✂杏仁等植物的果实是太阳为女性留下的固颜防老之丹

相比用水果或其他做的果冻，杏仁豆腐有不一样的效果，听猫慢慢道来。

夏天MM最怕的，就是肆虐的紫外线了，因为经紫外线照射的细胞会产生自由基，自由基是含有不成对电子因而极不稳定的原子团，就仿佛找不着老婆的单身汉，四外流窜，所经之处，又抢夺其他人的老婆，搞得到处乱七八糟的。

这种抢人电子老婆的勾当，在化学中就叫做氧化，好比铁生了锈；到了人体内，众多细胞因自由基的原因失去活性，就免不了搞出"白嫩美女变黄脸婆"的悲剧。

自由基在皮肤里流窜，使细胞失去活性，失去作用的蛋白和脂质堆积

在细胞里，造成粗大的毛孔和色素沉着。

自由基攻击我们的眼睛，则使晶状体变得混浊。所以，你看孩子们的眼睛，都干净透明得像清水一般，而随着年纪的增大，眼白部分不再是透明的，而是微微泛黄。等到再老的时候，眼睛变得更干涩、混浊，完全不是眼若秋水的样子了。

都说女人是老在眼睛上，可以用眼霜对抗皱纹，用彩妆提亮黑眼圈，可谁来发明给眼珠子美容的高级化妆品呢？

那个总是色迷迷的贾宝玉说，女儿们都是珍珠来的，一旦嫁了汉子，竟变成鱼眼珠了。

他懂得什么，哪里是男人，分明是这无情的流光催人老。

让 MM 们又爱又恨的阳光，却又能使 MM 们身体温暖、脸色红润，循环畅通；使 MM 们身体挺拔，凡事 UP、UP、UP；更使 MM 们精神焕发，得以成就更多的梦想。

即使紫外线的辐射产生了自由基，太阳也为众生留下解药来的——

最火热的夏天过去，果实都收获了，玉米、杏仁、橄榄、核桃……它们榨出的油脂，多是黄澄澄的，好比余留下来的阳光。它们不仅让人维持冬天的饱足，更饱含可扫除自由基的维生素 E。在没有任何化工业生产的古代，最基本的护肤品就是从油脂开始的。

维生素 E 就是脂溶性的，所以它们老是包在胶囊的油里。

大多数美女都会在夏日吃很多维 C 含量高的水果，并期望其中的维 C 使皮肤更美白。而油，简直一点也不要碰，油腻，受不了。

不过维 C 单独使用，效果差强人意，要对付自由基，维 C 和维 E 是一对好搭档来的。

维生素 E 简直就是英雄的奉献者，自由基要电子？行，我给你还不成？维 E 奉献出它的电子来拯救其他可怜的细胞。可是没了老婆的维 E 也很不安定，这时维 C 出现了，把它的电子奉献给英雄，反正它知道自己在人体内待不久的，再不安分也很快就排泄掉了。

正是这一对英雄的出现，使我们的细胞在艳阳下得以保全，因此这一对好搭档也频繁地出现在各种夏日美白产品的广告上。

❀杏仁里面保存的新鲜阳光让女人晶莹剔透

到了夏天，MM 们一提油则色变：劳驾，我脸上简直是油田了，一天用一包吸油纸的……

换成了无油配方的护肤品，感觉像少了最厉害的抗自由基卫士一般。或者，为了护肤品的使用感，换用触感更为清爽的矿物油，再加点石油里提炼的维生素 E 糊弄一下。

但石油里的是太多年前储备的老阳光了，猫支持大家用新鲜玉米或是杏仁里面保存的新鲜阳光。

即使在夏天，猫依然用植物油按摩皮肤，或是在刮痧的时候用植物油作为基础油，为兼顾滋润与清爽感，认定甜杏仁油。

甜杏仁油是非常清爽的植物油，猫甚至感觉不到它们是油。洁面后，轻轻按摩一下，或者随意刮一会儿痧，它们就完全吸收了，再用微温的水冲洗一下，用毛巾印干水分，就感觉皮肤有嫩嫩的滑润感，一点也不会有油腻的感觉。无需再用其他护肤品，清晨起来，会感觉皮肤变得透明感十足。

猫言猫语

找不到甜杏仁油的 MM 们，可以直接到婴儿用品专柜寻找标明成分是纯植物油的婴儿按摩油，十有八九成分就是甜杏仁油。因为甜杏仁油在所有按摩油中最为温和，皮肤敏感的 MM 和婴儿也能使用，价钱也十分合算，脸上用不完的直接惠及全身皮肤。

所以在盛夏，要猫选一种好吃的坚果来对抗自由基，自然是首选"爱的"杏仁豆腐了。

也许美女们在夏天一点吃肉的心情也没有，但甜甜香香冰凉的杏仁豆腐，绝不会让你感觉到油腻的。一定要加入维 C 含量高的水果一块吃喔，效果相当于吃维生素 E—C 美白套餐呢。

除去美容的功效外，杏仁豆腐还另有滋阴去火、润肺止咳的功效，家里有老人孩子，天热上火、咳嗽，喝一大碗杏仁豆腐，立即生津止咳，真是"爱的"豆腐来的。

爱是不怕麻烦的，在吃油脂丰富的坚果类食品时，猫最反对去买超市里那种包装好的现成的粉粉了。现在流行这个，什么都是粉，一冲就好了，懒虫来的。其实越是油脂含量丰富的食品，被氧化的几率也越大，磨成粉后油脂外泄，就会加速氧化，吃它们是为了抗氧化的，所以要吃最新鲜的。

四神银耳汤以及为自己身体接水放水的笑话

现代保健学十分强调水的作用的，倡导"一天8杯水"多年了，甚至一天里几点该喝水都要安排。不过，这些人是只管进不管出的，别相信他们，喝那样多的水，不如试试"深层导入式"鸡汤、龟苓糕、猪蹄桃花粥和黄酒炖阿胶。

什么最养素颜？

对于猫而言，就是小区门口开的土鸡店来的，卖的是城市里很难吃到的纯正土鸡喔。

猫拎起一只又肥又嫩（家人说我每次说到这句，表情都很色鬼）的土鸡，剁剁剁，准备放进砂锅里煲。

超级食客老公用犹如看情人一样热烈的眼神，盯着锅里的鸡。

猫才不像这号人，猫忙于折腾搭配美女鸡的材料。

淮山、薏米、芡实、茯苓，外加银耳。

前四味，就是有名的四神汤了（很多方子里会加入莲子变成五味）。

古人比较爱用"四"，认为这是个吉利数字，四物汤（当归、川芎、芍药、熟地）就是女人圣品，补血又养血，血气足了，MM们的脸色自然粉嫩如花。而这四神汤，则是直接补了咱的脾胃，因此汤中再加什么食物，无一例外地吸收得更好。

这四神料，好比护肤品中的"深层导入"因子，是可以百搭的，比如，

猫就加了银耳和美女鸡。

"这么多药，干吗啊？"食客问道。

"淮山、芡实，补中益气的啊，薏米、茯苓，健脾化水的啊。"

"那干吗加鸡和银耳呢？"

"因为我想'深层导入'点水分胶质，让皮肤水嫩一点啊。"

"搞不明白你这种自相矛盾的逻辑了！"食客笑道，"一边补水，一边化水，让我想起一个笑话来。说有则小学生的算术题：有一个池子，只接水，5个小时接满，只放水，8个小时放光。那要是一边接水一边放水，要多长时间池子才能满呢？那就是吃饱了撑的浪费水……"

"晕？猫让你更晕一点，吃龟苓糕么？"

"吃啊。"

"龟，龟板，富含胶质，补水的。苓，土茯苓，利水祛湿，放水的。"

"猪蹄桃花粥，也是很著名的美容祛斑菜吧。猪蹄，富含胶质，补水用的；桃花，利水、活血、通便，放水的。"

"黄酒炖阿胶：阿胶，富含胶质，补水用的；黄酒，饮后周身温暖，微微出汗，一样是放水的。"

黄酒，大概是中医里最常见的药引之一，众多滋补佳品，并不求个守势，把什么都密封在身体里，反要借个黄酒的温热发散之力。

"呵呵，敢情中国的药膳就是这样无聊，生生把我们变成一个又开又关的水池了。"

或者中国哲学的理想，就是对世间任何事，包括对我们身体的三分之二以上，要抱着"见之则喜、过去不留"的态度才好，流水东去还复来，有如我们的皮肤，几十年过去，依然是婴儿般的状态，素颜玉肌，完美到极点。

MM 身体的治水之道

> 身体里的水有上行和下流 2 种治法，但下流不如上行好。所以，咖啡这种东西，还是能戒则戒的好，否则就对素颜不起了。

现代保健学十分强调水的作用的，倡导"一天 8 杯水"多年了，甚至一天里几点该喝水都要安排。

不过，这些人是只管进不管出的，别相信他们。

喝那样多的水，不如试试猫前面提到的"深层导入"式鸡汤、龟苓糕、猪蹄桃花粥、黄酒炖阿胶。

每天喝一碗，保管就能让你的肌肤嫩得可以掐出水来。

不只是水，还有汤、茶、粥、含水量高的食物、胶质，还有……脂肪，到了身体里，它们就会变成体液、血、筋及韧带、皮下的胶原蛋白和脂肪，还有不可思议的女性性激素。

所以，猫下面说的水，就是身体的阴气来的。

这种水在我们身体里，和在水池里不同，它们有两种方法被放出去，上行或下流。

阳光好的时候，水上行而成为汗，从我们的皮肤和七窍中蒸发出去。

女性在这里是弱项，毛孔细小，出汗太少，又吃了滋阴之物，只进不出，反生水害。

但是中国 MM 决不是吃素的，她们有各种新鲜热辣的方式来治理水害。

猫就狂爱吃四川 MM 的口水鸡、湖南 MM 的剁椒鱼头，还有武汉 MM 的红油虾球……越辣越美。

最后，猫总结出平生第一个美容秘笈：女人千万不能让自己冷（见《31 岁小美女的养颜经》）。

温雅一点的江南 MM，吃淮扬菜，则温饮黄酒，连烹饪也多用黄酒。鸡啊螺啊螃蟹啊，统统扔进酒里灌醉了再吃，好性格，怪不得苏杭一带丽人成群。

桂林 MM 的放水秘方是桂林米粉的卤水，用各种香料熬成，比如草果、桂皮、甘草、八角、香茅、砂仁、小茴香、丁香、香叶、花椒、陈皮、辣椒、老姜、葱头。

百味杂陈，浇在米粉上，喝下去，不止头上的窍，连全身毛孔也被冲开了。

这么说吧，猫的女儿感冒，吃一碗米粉一定好。

盛产于热带的香料，多能驱秽通窍，想想吃一个超级辣椒的感觉，真是全身血脉通畅啊。

这出水的龙头一开，什么脏东西也冲走啦，痘子也不长了，斑点也留不下了。这不正是猫倡导的素颜之美吗？

如果天冷，水也蒸发不上去，于是乎，下流……嘿嘿，下流是不如上行来得好。

咱们吃的薏米、茯苓、玉米、桃花，都是引水下流之物，吃了滋阴之物，再奉献出一点肥料，老天便让你恰得其补。

因此喝桑叶茶会加玉米须，而炖银耳，少不了要加薏米的。

最为著名的"下流"之物是咖啡，茶与可可一样，无一例外含有咖啡因，具有利尿的作用。

喝这三种饮料，都属于放水行为，然世间男女老少，为它们上瘾的实在不少，谁不想自己精神百倍呢？

可乐一样含有咖啡因，一样是利尿剂来的。

猫有喝咖啡的习惯，但每喝均有罪恶感，因为知道女子是水做的骨肉，喝多了咖啡，水就流光了。

于是，每喝一杯，就去嚼几粒滋阴的枸杞自我安慰一下。

MM 们千万不要学猫，咖啡这种东西，还是能戒则戒的好，否则就对素颜不起了。

光滋补不奉献是有违天道的

把水做为女人的标志，就是因为女人身上不想留任何东西：阳光留下的雀斑、生育留下的黄褐斑、吃了油炸食品留下的痘印、重力作用留下的下垂。如果你不留它，它自然就奉献出去做肥料了，还你天生的美丽容颜。

相比男人，女人有不同的流水周期，在排卵期前后，体温降至最低，雌激素水平最高，身体处于极阴状态。如果此时能够怀孕，此阴则转化为子宫内膜增生之血、胎儿所居之羊水，最后化为哺育宝宝的乳汁；若不能怀孕，则只会变成下肢的浮肿，经前粗了一圈的腰，加上心烦意乱的经前紧张综合征。

猫解决这些讨厌的水，一律上酒！温的黄酒、米酒、桃花白芷酒，不过，不喝滋阴的红酒。

经前的水，不易完全排出，也不用太执著。因身体水分多，人会比较懒惰犯困，有条件的MM不如在此时多睡一会儿，正如在秋冬之际的倦怠，是不用去克服的，多多睡就是最好最自然的养颜方式。

进而不出，光滋补不奉献，是有违天道的。不过，也有很多光奉献不滋补的伟人。怎么办？排毒。

一个多时髦的词，好像毒素一排，健康问题、面子问题便可迎刃而解，是否？

过去无聊的时候看佛经，佛有一句话：所谓流水，"即非流水，是名流水"。

他是说，你所说的身上这水，一下子就进了一杯银耳进来，撒了一泡尿出去，就不是刚才的水了。为了说得方便，咱们暂且叫它流水吧……

因此他不是在谈空，而是在谈：转瞬即逝。

可以即进即出，转瞬不同，就是健康的、漂亮的。

把水作为女人的标志，就是因为女人身上不想留任何东西：阳光留下的雀斑、生育留下的黄褐斑、吃了油炸食品留下的痘印、重力作用留下的下垂……如果你不留它，它自然就奉献出去做肥料了，还你天生的美丽容颜。

好不容易吃进去的阿胶尚且不留，那伤心的、烦恼的事情，失落、争吵、赌气当然也不留了，内心很干净，脸上也很干净。身心俱养，美由心生。是不是感觉要达到素颜的境界并非想象中那么难？那就亲身体验一下吧。

高明的思维方式！

每个女人都需要一碗漂着油花的汤

> 各类皮，猪蹄汤（猪皮）、鸡汤（鸡皮）、牛尾汤（牛皮）、阿胶（驴皮）……严格地说，应该还包括富含胶质的鱼皮，也有黏糊糊滋阴效果一样好的黄鳝和泥鳅。只要皮皮们使用得当，不仅 CUP 升级，也是造就美女们不老面皮的不二法门呢。

夏天终于过去了，盼到起秋风，进补的季节，闺蜜们凑在一起谈点男人不宜的话题。

"哎呀，终于到了 CUP 升级的好时候，来交流一下心得吧。"猫这种下岗奶妈，心情最迫切。闺蜜们也装了一肚子网上或是书上看来的方子。

流行最广的方子是什么？

猪蹄汤（猪皮）、鸡汤（鸡皮）、牛尾汤（牛皮）、阿胶（驴皮）……严格地说，应该还包括富含胶质的鱼皮，也有黏糊糊滋阴效果一样好的黄鳝和泥鳅。

都是使 CUP 升级的验方？

岂止岂止，只要皮皮们使用得当，不仅 CUP 升级，也是造就美女们不老面皮的不二法门呢。

有很多 MM 是不敢吃肉皮的，其一，这东西黏腻，吃了之后不好消化；其二，这东西油腻，吃了发胖。也多有 MM 胡乱吃几天，并不见效果，于是失去耐心，换用其他速效的方式。

说起皮皮们的效果，先从女人自己身上这张皮说起。哲人们会说，这只是一副皮囊，是虚的。女人们却爱惜这张脸，补它养它描它画它。它很争气，比男人们的皮肤好看得多，丰润柔软，十分美丽。

女人的皮肤与男人的有何不同？它的皮下脂肪比较多，以保护女人水做的、比较怕冷的阴性身体。女人皮肤之美，多来自于这层脂肪，若少了这一层，不好看不必说，要知皮下脂肪储藏了身体雌激素，更要在关键时刻释放它们，以配合身体的激素代谢周期，所以减肥减到极致的女人，最后总会以闭经和不孕症收场。

你怕不怕那一碗"漂着油花"的鸡汤？没什么好怕的，很多美女吃雪蛤养颜。雪蛤，其实就是东北林蛙的输卵管，成分多为脂肪，也称哈士蟆油。也有很多美女吃燕窝的，燕子的唾液，滋阴。

殊不知，女人体内的阴液、血、脂肪，是自由转化之物。所谓阴，即引导身体进入"不当月光族，要存点东西备用"的状态。存什么？脂肪，此物极阴。

如此看来，吃燕窝雪蛤，甚至枸杞银耳，作用也类似于喝一碗"漂着油花"的汤，只是效果明显与否的区别罢了。所以，宝钗对黛玉说，你这病，最好是每天用上等燕窝一两……宝钗深谙养颜之道，知道像黛玉那种瘦人最宜进补，她自己恐怕不会吃。

女人应该在低温期大快朵颐

> MM们应在什么时候大吃？请记得一个秘诀：以温度高低作为标志，降温时，吃，储存；升温时，把存下来的东西用掉，因为吃也是白吃，添堵。

我们吃肉皮类食物是不是补充胶原，然后指着它们使我们的CUP升级，再指着它们跑到眼周填平皱纹？

不全对。

女人们为容颜不怕大吃各类含胶质或是黏糊糊的滋阴之物，事实上，它们不好吃，以人的本性，更爱吃油炸过、看上去十分香脆的东西，或是立刻就能让我们提起精神来的巧克力类甜点。人，爱吃使身体减少一些水分、血糖立刻升高、能立刻使人提起精神、变得亢奋起来的食物，按猫的理论，这便是壮阳之物。

一个女人如果总是很有精神，吃进去的东西立刻化为能量，并且很容易激动和亢奋起来，那她在精力上就是个月光族，没有储蓄。

她若能常吃些黏稠之物，会增加身体存水，这水分正如一个冲动的男人身后都有一个冷静收敛的女人，与容易冲动的"气"打打太极，让它慢下来，沉稳下来。整个人就会变静变懒变内向，无谓消耗的能量就会减少。

有了更多的阴液，夜里就会有更深沉的睡眠，人在睡眠中吸收、储存、更新及修复受损细胞，节余的能量或为血或为脂肪，被身体收藏起来，人

就发胖了。

皮下脂肪多了，雌激素分泌也充足了，肤色就变漂亮了；血气充足的女人，肝气自然健旺，属肝经的乳房，也就 CUP 升级。所以，快去喝油油的汤吧！

也有 MM 对此质疑，大叫："且慢，按你这种说法，越胖的人，就越美，可胖子里边，也有些老得很快、皮肤很苍老的呀。"

提出这个问题的 MM，请务必参看猫的前文《四神银耳汤以及为自己身体接水放水的笑话》，猫说人的体液需得边进边出才好，脂肪也是其中之一。有些胖子，吃是吃了进去，该放的时候却小气得很，不肯放出来。那已不是美丽的皮下脂肪，而是垃圾。

那要什么时候大吃？请记得一个秘诀：以温度高低作为标志，降温时，吃，储存；升温时，把存下来的东西用掉，因为吃也是白吃，添堵。

没有一个女人不喜欢的经前美容排毒茶

此茶能暖身、调理脾胃，和猫珍藏的桃花白芷酒有相同道理，酒暖身、白芷去污、桃花利水，正是条条大路通罗马。

猫给大家推荐一个茶饮，虽然很多人都推荐过，猫还要再推荐一下，

经前美容排毒茶

成分	用量	说明
生姜	一斤	驱风散寒。
大枣	半斤	补中益气，养血安神。
粗盐	二两	促进皮肤的新陈代谢，有助于排除体内废物。
甘草	三两	补脾益气，清热解毒，祛痰止咳。
丁香	半两	补肾助阳，促进血液循环。
沉香	半两	降气温中，暖肾纳气。
茴香	四两	温肝肾，暖胃气，散寒止痛。

因为它是适宜经前饮用的美容茶。

将以上所有材料共捣为粗末，和匀，每次用三五钱，煎服或沸水冲服均可。

娇娘隐于厨

> 说到底，活在世界上，要远离人间烟火，不大可能。居于烟火中，不沾烟火味，却是容易的事。
>
> 女人这张脸，到了三四十岁，说黄了就黄了的，不能只怪罪油烟。猫至今厨龄十年了，朋友圈中典型的煮妇，依旧粉面佳人，奈何？

❀与油烟和时光作战

闺蜜们经常讨论同一个问题，关于油烟的：到底是不是油烟把我的脸给熏黄了呢？

油烟这个鸟问题啊。

结婚多年的主妇，都痛恨滚滚的油烟，却又摆脱不了。中式厨房就是要煎炒烹炸，不忍受这个油烟味儿，菜就不好吃。

想想人家爱美的小女生，会买个蒸面器，放点精油疼爱自己，而你，用沸腾的锅，加上花生油，丢进两颗老蒜米就开始熏；人家小女生蒸个15分钟，就立刻去抹收缩水啦，你却一蒸就个把小时。

灶台上厚厚一层油腻，到周末喷上油污克星蹭了又蹭，灶台搞干净了，手也脱皮了。熏在脸上的油烟，或者也要用油污克星才好？

　　呵呵，上面都是胡扯，下面的说法却有科学依据。据资料称，油烟已成为危害妇女身体健康的重要因素，它们使人体产生自由基的程度，甚至超过了二手烟和汽车尾气。吸入的不洁气体也像二手烟和汽车尾气一样，腐蚀我们的肺，进而通过空气交换进入我们的血液。

　　所有会做饭的主妇都有个感受，就是做饭的人感觉不到饭香。主妇做完饭后，缺乏食欲，一般都会自嘲说：油烟闻饱了。

　　我们的大脑，是会上当的，它们从我们吃进第一口菜，或是闻到食物的香味起，就暗示：我要吃饭了。提示肠胃：做好准备。再过半小时，大脑再提示：吃饭时间结束，饱了。这时，肠胃消化液的分泌就会减少。

　　因此营养专家提倡大家慢食，这样可以在一定时间内减少进食量，若暴饮暴食，则大脑在感觉到饱之前，我们已经吃进太多东西。

　　做饭的主妇就惨了，吃饭时间还没到，已经闻够了食物的香味，再偶尔为尝味吃上两口，等饭菜上桌，大脑已经发出"我吃饱了"的信号。咱们当然不傻，知道自己没吃呢，肠胃却已错过了最佳进食时机。脾胃一再被愚弄的可怜主妇，脸色开始变黄了，脾属土嘛，因此面如土色。

　　你说，油烟难道不是个鸟问题么！

✄ 不当黄脸婆，烹饪要革命

　　猫进入30岁，一再提醒自己奉献是有限的，有限光阴更要为自己活，进而掀起懒惰的厨房革命。

　　不煮饭啦？乌拉，有可能么？

　　革命是有限的，只能在烹饪方式上革命一下。

　　中餐最有特色的烹饪方式，是炒，油烟滚滚，菜下锅吱拉吱拉，十分讲究火候，厨师当然一步不能离。或是煎炸，一样地火暴。

　　感觉老外烹饪起来花样就少得多，但是人家烤的都是实在的大块肉肉，

人家天生是爱吃肉肉一类高蛋白、高脂肪东西的。老虎抓一只山羊，先吃什么啊，肯定是吃内脏的，决不会去啃山羊尾巴。在自然的争斗中，也许迟一步，好东西就落入他人之口，一旦得食，当然吃热量最高的东西，进化了几百万年，人也是一样的。

中国人就不一样，可以吃蔬菜豆腐。但是蔬菜豆腐沙拉就不行，没有满足感，蔬菜豆腐要爆炒要煎炸，就是要个"火大油多"，让这菜吃起来有像肉肉一样的饱足感。为了这种假相，中国主妇就要吃多多的油烟。

除了沙拉那种淡出鸟的烹饪方式，中餐还有很多好方法可供选择，一方面可做出中餐的地道口感，另一方面厨师却可以溜之大吉，到门外躲油烟去。

猫也偏爱利用食物本身的油脂、不额外加油的方法，这样可以使食物更健康一些。因为吃得健康，身体就能得到更多气血，而素颜之美，根本上是要靠气血来养的。

✂ 修炼粉面佳人的厨中绝枝

卤：猫最喜欢的超级懒人法。中厨最不得了的发明是酱油，利用最普通的黄豆，酿出中餐不可或缺的特别味道。生抽提鲜，老抽上色，都是不可少的。

至于卤包，十分简单的，无非草果、桂皮、八角、小茴香、老姜、葱头一类，懒得配，超市也有现成的料包卖，菜菜肉肉统统扔进砂锅，卤包、酱油一锅煮，火开小点熬啊熬，大厨自然可以躲出去逍遥。

过去，只是卤些牛肉、猪肚，现在，恨不得把能吃的都扔进卤水锅，大有"问世间，什么不可以下锅卤"的豪情。凤爪、鸭胗、猪蹄、鸡蛋、花生、豆干，后来受了日本人的启发，越发连鱿鱼、海带一类也照卤不误。尽管大厨是在偷懒，食客却感觉不到，托香料的福胃口大开，还额外提了

神、开了窍、防治了感冒。

蒸：西餐很少有蒸一说，想来老外的油腻大肉，蒸了下不了口。中餐就厉害得多，想清淡点就包上荷叶蒸，怕油腻就加米粉蒸，海鲜则加蒜蓉、粉丝蒸，排骨加豉汁蒸，想火暴一点加剁椒蒸。蒸绝不是想象中的单调口感，这才是中厨的百变，不变的是，开了火，厨师一定要躲出去。

烤：几个鸡翅要炸到吱吱冒油的份儿上，大厨的脸也就完了。烤则轻松得多，鸡翅本身会出油的嘛，开了火、定好时，你就闪。一切本身会出油的东东都极适合进烤箱，肉类、鸡鸭及油分较多的鱼，比如秋刀鱼或黄花鱼。省了脸面油钱，更减少了高脂摄入，体贴一家人的健康。

本身不出油的菜，要猫开十几次烤箱门刷油，那是决不干的，犯不着为贤惠二字献身。不过，用锡纸包上焗，倒是个好主意。

煲：粤菜盛行，搞得主妇们都去学煲汤，好像不会煲汤就不是好主妇一般。猫就看上老火煲汤极其适合懒人，也能天上地下一锅煲，砂锅开小火，然后，闪。

不满意粤式老火汤肉肉放得太多，主妇猫偷梁换柱减少肉肉用量，代之以少量干贝、海鳗、响螺或是柴鱼，照样汤浓味鲜。海味增加了号称"男人活力之源"的锌元素，因此家里的两个男酒鬼一样满足。

凉拌：这个无需多说，新鲜蔬菜随便切切，加西式千岛酱或中式大蒜、香醋、红油，极为简单，而且绝无油烟，还是低热量。多喝点醋（千岛酱里的柠檬汁也算），也是女人减肥滋阴的好方法。

煎：说来说去，中国人吃东西，偏爱过点油，小火慢煎，谁耐得了那个熏？实在得干这个，一定要搞个上好的不粘锅，开小火，关上门，你慢煎去，我不奉陪。

一面煎好，冲进去翻个面，再闪。

不粘锅真是好东西啊。

猫言猫语

再顶不住压力要"炒个小菜",就戴上个一次性口罩疼爱自己。别笑,在二手烟弥漫的地方戴口罩是很正常的,油烟甚至比二手烟更具毒性。

说到底,活在世界上,要远离人间烟火,不大可能。居于烟火中,不沾烟火味,却是容易的事。

女人这张脸,到了三四十岁,说黄就黄了的。不能只怪罪油烟。猫至今厨龄十年了,朋友圈中典型的煮妇,依旧粉面佳人,奈何?

到了用餐时间,若家里两个男酒鬼都在,一个去倒红酒,另一个去倒竹叶青,问俺:"你喝哪个?"

小酒下肚,飘飘然似神仙,猫早忘记了油烟的烦恼,胡言乱语起来。

古人云:小隐隐于野,大隐呢?

当然是隐于厨房啦。

秋日新宠试阿胶

話說楊貴妃肤如凝脂，白居易的《長恨歌》里说得明白，但为何细腻如许，他没有说。

话说1000多年后，猫古为今用，偷吃阿胶，讨好俺家那位帅哥。讨好的效果很好，此处删去34768字……

黄酒阿胶隔水炖，肌肤水嫩二八春

刚起第一阵秋风，就收到朋友送的一盒东阿阿胶。

小蔷薇出生后，睡眠不足加上哺乳的时间太长，猫的脸总是苍白的。阿胶能补血滋阴，可治血虚、虚劳咳嗽、吐血或妇女月经不调，这叫瞌睡碰到了枕头。

阿胶有很多服用方法，比女口磨成粉冲牛奶或是汤，也可以炖服。猫用的是最传统的一种，黄酒炖。

一盒阿胶250g，分成8块，一块大概30g左右。一次取一块，用干净的布包奸，用锤子砸碎。然后放进一个有盖的口杯（因为要炖，还要存放，所以最好用陶瓷的密封好一点的杯子），倒进半杯黄酒，盖过阿胶。

就这么泡着，传说要泡几天才行。猫试过了，这么热的天气，有两三

个钟头就差不多了。泡好的阿胶加上 1/4 杯热水、几块冰糖，放到锅里隔水炖。猫用的电饭锅，定个时，隔几分钟去搅动一下，大概炖一个小时，就完全融化了。炖好的阿胶放凉后送进冰箱，就会凝结成像果冻一样的胶质，猫做的是一个星期的量，每天晚上取一勺"果冻"用开水化开就可以喝了。

看起来很麻烦，只是猫写得详细而已，用一个晚上，少看几分钟电视广告就成。对比一下秋日常用的滋补品，燕窝不消说，麻烦得要命；银耳炖起来容易，却不能过夜，天天都得炖。阿胶只是炖一次就能管一个星期，相比之下，算简单的啦。

味道？不怎么样，比药强。嘿嘿，喝不惯黄酒的 MM 惨了，幸好有冰糖的甜味压一压酒味。

我这是基本方，MM 们想要补血的效果更强些，可以加入红枣；想明日乌发，加碎芝麻；怕冷的 MM 可以加桂圆或是核桃肉。

效果（吃了半个月）超赞的，这些天天气干燥得像着了火，猫的皮肤却一直水水嫩嫩的一点紧绷的感觉也没有，谁能想象猫平日就靠一瓶自制的保湿霜？另外，脸色比原来红润了，看起来红扑扑的很精神。谁说素颜一定挨板砖？

不过，刚服用的时候，有点上火，嘴角长了一个小痘痘，后来似乎是习惯了，痘子也消了。

猫言猫语

据猫的经验，补血的好东西往往会令人上火，像桂圆、樱桃甚至是四物汤，大概是人体一下适应不了忽然增加的血气吧。所以猫建议大家服用阿胶不要偷懒，一定用黄酒炖，可以同时起到活血的作用。另外，据资料，服用阿胶的另一个副作用，是肠胃不适。因为它属于胶原蛋白类食物，比较黏腻，肠胃不好的 MM 要注意喔。

猫的胃是铁做的，没觉得有什么不妥，嘿嘿……消化不好的 MM 可同时吃些酸食，帮助消化。

✕东莱阿胶日三盏，蓄足；台媚误君王

说起阿胶来了，猫再补几句野史闲话：

话说杨贵妃肤如凝脂，白居易的《长恨歌》里说得明白，但为何细腻如许，他没有说。唐代诗人肖行澡作了这样的臆测：

> 铅华洗尽依丰盈，
>
> 雨落荷叶珠难停。
>
> 暗服阿胶不肯道，
>
> 却说生来为君容。

话说明代的朱克生，取笑杨贵妃的姐姐虢国夫人，说她一天三盏地吃阿胶是为了取悦唐明皇：

> 虢国夫人娥眉长，
>
> 酥胸如兔裹衣裳。
>
> 东莱阿胶日三盏，
>
> 蓄足冶媚误君王。

话说1000多年后，猫古为今用，偷吃阿胶，讨好俺家那位帅哥。讨好的效果很好，此处删去34768字……

养颜也要懂变卦

> 猫不是好厨娘，不教人做菜养颜，但教做菜和养颜的方法，一句话：无定法。
>
> 是的，要想素颜长久，时时未雨绸缪，岂不是比事后涂什么修复液高明了许多？

✄看着天气下菜碟——不同时辰鸡汤的不同做法

秋天的天气好像小朋友的脸，说变就变的（其实春天也是，嘻嘻），做了妈妈之后，猫发现不能再对这样的变化等闲视之了，早早买回温湿度计，一日看三回。

早上起来，天气微凉而湿润，稍不小心，小蔷薇就成鼻涕虫（看看湿度，65，怪不得鼻子挺舒服）；不到10点，气温狂升，出去玩一会儿，一头臭汗、口干舌燥，看湿度，降到45了。到了中午，太阳和鼻孔一齐火辣辣，湿度降到30，已是舒适度以下，猫打开加湿器，给小蔷薇狂灌梨汤。再到夜里，地气上升，风凉凉的，披衣服晚了一点，竟然连打两个喷嚏。

买了温湿度计以后，才发现这东西简直是身体的疾病预报来的。

在秋天，一整天都在喝汤，有人说，女人滋补鸡汤为首，猫的舌头认

可这个判断，但是同样的鸡汤，甚至在一天的不同时间，也有不同的做法。

若是在中午，鸡汤里一定要加银耳，在鸡汤里炖过的银耳鲜美软糯，使鸡汤更具滋阴补水之功，再加入一点沙参和玉竹，沙参养阴清肺、益胃生津，玉竹含有黏液质滋润肌肤，最后再扔进去几颗薏米，呵呵，正宗的清补凉鸡汤呢。（猫宋为清补凉作一个简介，两广人常以桂圆、沙参、玉竹和猪肉熬汤，作为解暑佳肴。猫只是把猪肉换成了美女鸡而已，呵呵。）

到了晚上，不要凉了，天气已经够凉，想要一锅热乎乎的浓汤，手脚暖暖的，好去恋被窝。鸡汤里要放更少的水，或者索性不放水，放米酒汁，用蒸的更加香浓，再加点红枣、黄芪和桂圆，这就是一锅让寒气远离、补气血的好汤（燥热的时候包管补得你流鼻血、长疱疱）。

一天竟然可以喝两种不同的汤，可见得现代的气候，走极端的时候多，温和宜人的时候少。美女们更要通阴阳、分五行，才能顺应四时的节律，花最少的精力，赢得惊人的素颜。

要想素颜长久，时时未雨绸缪

经历了几十年未遇的寒冷冬天，今年的春天特别喧闹，院子里的工人在铲除去年冬天冻死的大片花草。

植物虽然不能移动，却最具适应性，竟然也抵不过去年冬天，无怪气象专家说：全球气候变暖，表现形式就是出现更为极端的天气。

比如，中午喝清补凉、夜里喝米酒汤的天气。

猫不是好厨娘，不教人做莱养颜，但教做菜和养颜的方法，一句话：无定法。

经常有人来问猫猫，我想要美白，是不是可以一直吃珍珠啊，每天做维 C 的面膜可不可以啊……

不晓得。

　　唯女子与小人难养，因为女人的身体是水做的，如潮汐一般变化无常，而且每一个女人都应有一套个人保养方案，猫怎敢随意回答？

　　过去看南怀瑾先生评点《易经》，他说：《易经》虽有 64 卦，其实只有厂卦，就是：变卦。

　　从这一点来看，南怀瑾先生就绝非泥古的腐儒。曾有个跟他学《易经》的学生，跑到澳洲去盖房子，当然一定要用八卦图算算方位什么了，一算方位，傻了，中国是北半球的啊，南方为火，北方为水，可是澳洲在赤道南啊，这怎么算？大老远打国际长途来问南先生，南先生说，哪有拘泥不化的呢，要把南北颠倒过来算的……

　　每读至此，忍不住笑，人总是容易以自己为本位，连《易经》这种包含宇宙大法的学问，也有个中国本位，世界的变化哪天出现了《易经》算不准的，我也不惊讶。

　　再懂得计算的男人，也算不懂女人，不过，爱惜自己的女人，要懂自己，懂一点点天时地利什么的，比如一日三餐吃什么，排卵期如何保养，月经期如何进补，哪里产的果子最养颜……

　　先去买个温湿度计吧，那好比偷窥天时的秘密武器。是的，要想素颜长久，时时未雨绸缪，岂不是比事后涂什么修复液高明了许多！

薏米——女人前世今生的恩物

> 　　在南方，对于女人们来说，薏米这小东西，煲汤煮粥炖甜品，无一少得了它。别看它卖几块钱一斤便宜得很，想一想雪肌精加入了它，立刻身价倍增。看来刘秀帝真是别具慧眼，这小东西的价值，事实上是要赛过珍珠的呢。

猫不喜欢看历史的东东，有时候很血腥，更多时候是很无聊，长篇大论尽是颂皇恩。不过，柏杨先生译注的《资治通鉴》很好看，来段历史，先是腐儒司马光出来评点一番，后面柏杨先生再来评点"放屁放屁"云云，过瘾。

不想会在严肃的史书中偶遇薏米（热天里猫天天捧一碗薏米红豆冰），惊喜像故人相逢。于是忍不住也出来戏剧化一段历史，大家定可从中看出薏米的超常规效果：

"话说伏波将军马援"，是东汉初人，汉光武帝刘秀的爱将，据称十分英俊的喔，史称他"明须发，眉目如画"。将军也十分有才，现代汉语中颇有些言语出自他之口，例如"丈夫为志，穷当益坚，老当益壮"，再比如"男儿当死于边野，以马革裹尸还葬"、"画虎不成反类犬"什么的。

马援将军，为刘秀立下赫赫战功，在陕西破先零羌，又南征交趾州（今天的越南北部），封新息侯，权重一时。经过猫的老家桂林，也没忘记疏浚一下始皇帝留下的灵渠，然后在漓江边一展武功，先在伏波山挥剑，齐根斩断一根巨大的石柱，再一箭射穿对面山峰。为桂林留下胜迹两处，一名叫试剑石，一名叫穿山，每日令众多游客光临景仰。

马援将军一路南征入越南境，但人再威武，也不能与天斗。将军还不妨，底下的士兵可受大罪了。当年的桂林也罢越南也罢，是真正的蛮荒之地，潮热之气扑面而来，中原流放至此的人，多因水土不服，未至目的地便先病死了。

水这种东西，在身体内积蓄太多而无法排出，是很可怕的，它拖累气的运行，让人倦息、疲乏，更增添体内废物，减慢代谢过程。所以，南方人多瘦小，生面疱，极易上火。现代医学主张人无论干渴与否，一天都要喝上几升水，猫对此持怀疑态度，哪个MM感觉到多喝了水，脸上就水当当的啦？

来自北方的士兵到了越南，就不只是上火的问题了，头晕目眩、呕吐、腹泻……只怕和当年美帝国主义在越南受的罪一样要命。

为减轻水土不服，马援大军以大车载满薏米，沿途给士兵服用，使士兵神清气爽，祛除瘴气。薏米圆小而洁白，形似珍珠，没想到，惹来了杀身之祸，"马将军沿途搜刮，所贪污珍珠竟以大车载装"的流言四起。

马援将军平定越南交趾州后数年，再度自请讨伐武陵蛮。趁将军在外之机，朝内权贵开始罗织罪名陷害他，罪名之一就是"车载珍珠"。

此时马援在军中已不幸身染瘟疫而死，刘秀帝却大发雷霆，下诏撤除马援侯爵。马援棺椁运回，甚至不敢安葬；亲朋好友，竟无一人敢来吊丧。

伏波将军马援一世英名，不想成也薏米，败也薏米，倒成就了这小小的珍珠般的东西，得以青史留名。

在南方，这小东西，煲汤煮粥炖甜品，无一少得了它。别看它卖几块钱一斤便宜得很，雪肌精加入了它，立刻身价倍增。看来刘秀帝真是别具慧眼，这小东西的养颜价值，事实上是要赛过珍珠的呢。

薏米绝以是女人前世今生的恩物。不仅消除水肿的本事天下第一，对消除粉刺、雀斑、妊娠纹、皮肤粗糙都有极好的疗效，常吃可以让 MM 们的皮肤光泽细嫩，白中透粉。而且，它还容易消化，不会给肠胃增加负担。

马援将军可能也发现，这薏米有神奇的美容功效，所以私下里也常给马夫人食用，否则马援将军的后人，如何全是帅哥？像《三国演义》里面的马腾、马超……个个英勇无比、英名长存……

对每一粒种子，都应怀有敬畏之心

　　顺应天时，在该收藏时就收藏，然后经历过漫长的冬天，开春的时候，就会像婴儿一样恢复先天的活力，绽放绚烂的光彩。这种从内而外的美，也只有"天生丽质"四字可以形容吧。

　　腊七腊八，冻死鸡鸭。

　　这几天，猫被冻晕了，本来今年是难得的暖冬，整个冬天还没穿过棉衣呢，谁知道就在腊八的前一天，老天变脸了。

　　这下全家都裹上羽绒衣啦。（大寒节气也快到了，你看，不冷说不过去啊！）

　　这么冷，不喝腊八粥犒赏一下自己，就更说不过去了。

　　吃腊八粥的习俗，据说是来自印度，释迦牟尼为救众生脱离生老病死之折磨，苦修六年，每日仅食一麻一米，于腊月八日悟道成佛，于是人们在腊月八日喝粥以示纪念。

　　猫一边念南无阿弥陀佛，一边洗米泡豆子去了。

　　先来秀一下猫的超级丰盛腊八粥的原料吧，真的是很丰富呢：

　　能找到这么多已经觉得很丰富了，放在一起泡了很久，然后除了像桂圆、葡萄干、无花果、枸杞这些干果之外，全部扔进高压锅熬啊熬……

　　起锅之后，加上其他的干果再煮上一两分钟就好了。

　　一碗有这样丰盛种子和果实的粥，喝的时候真应该怀有感谢佛祖的心

超级丰盛腊八粥

杂粮类	大米、糯米（必不可少的，没有它粥就不黏了）、玉米、薏米（叫米就也归为杂粮算了）、小麦、黑米、小米、荞麦和燕麦。
豆类	红豆、芸豆、绿豆。
果仁类	芡实、芝麻、莲子、核桃、杏仁、花生、瓜子仁。
果肉类	红枣、桂圆、葡萄干、白果、杏干、无花果、枸杞。
没能找到的原料	栗子、松子、菱角、玫瑰糖，当然还有很多，猫暂时想不出来，反正越多越好啦。

才是。

猫喝了三大碗，一碗粥里有太多的味道，感觉根本不需要粥菜，免得影响了舌头的辨识能力。

打着饱嗝，猫就来告诉大家为什么要喝腊八粥。

不是腊八，而是整个冬季，我们都需要这样的一碗粥来的。

天有四季，植物有春生夏长、秋收冬藏。

在中国的养生术中，说人也是秋收冬藏的，就像植物一样。

我们是一粒种子（受精卵）的时候，一粒米不到的空间里藏了我们生命的所有信息，我们虽然小，全无作为，却是能量无穷的纯阳之体，躲在妈妈的肚子里搞得妈妈天天上火流鼻血的。

出生之后，这股能量成为我们的先天之本——肾气。

我们一生虽必经从年少到垂老的轮回，却也像植物一样，每一年都经历有四季的小轮回，到了冬季，我们变得傻，变得无序，阳气内收，想像婴儿一样缩起来多睡一会儿。

有人说，肾气既为先天之本，后天便不可逆；猫却觉得，顺应天时，

在该收藏时就收藏，然后经历过漫长的冬天，开春的时候，就会像婴儿一样恢复先天的活力，绽放绚烂的光彩。

这种从内而外的美，也只有"天生丽质"四字可以形容吧。

现实生活中，羊羔鹿胎因其难得，人们往往视若珍宝，而对一粥一饭平实的种子，并不会怀有那样敬畏的心。

动物性补品药效往往比较迅速，不像老实的米饭那样滴水穿石，其实，正是滴水穿石、藏而不露的滋补，才更符合"冬藏"的真谛。

五谷杂粮不好看，吃了却让女人好看

> 由肉食改为素食的删应有鲜明体会，会产生变了一个人的感觉，变得心态宁静，获得长久的耐力与韧性，毛孔变得细致干净，很长时间过去，那张脸看起来还是老样子，却仿佛永远不会老去，直达素颜的第二层境界。

不晓得 MM 们会不会自己去超市或市场买米？还是只吃端上来的白饭呢？现在超市里卖的米打磨得不是一般的漂亮，晶莹剔透，像无瑕的小珍珠，稍微看起来不够透亮的简直没人要。这就是所谓的精白米了，米的表皮在哪里？米胚芽又在哪里呢？都变成米糠打掉了。这样的米除了淀粉外一无所有了。

好容易看见有糙米卖，长得半黄不绿的不是一般难看，却真空包装，卖 5 元一斤，天，不就是少打掉一点点米糠么，我不介意吃加工给鸡吃的食物，可是贵得很离谱啊。（想想加入大米成分或是米糠油成分的护肤品，也是很贵的，看来大家都知道米糠这种东西是很值钱的。哪像过去都是加工给鸡吃的，预防鸡得脚气病。）

再说面粉，一个字，白，大家喝过猫过去大力推荐的小麦糖水么，小麦就那长相，黄黄黑黑的，剥了几层皮才能白成那样啊？吃皮补皮啊，别老是用来补鸡的皮，哭……

有些杂粮，就不用把皮去得那样干净，例如燕麦或是玉米，所以加入

多种杂粮，让 MM 们也有幸吃到更多的美肤维生素。

以大米、白面作为主食，大概是因为口感的缘故吧，其实相比其他谷物，在营养上这二者乏善可陈，猫花了一个下午研究谷物的营养构成，发现谷物中的明星当属燕麦及荞麦，其主要营养成分超过米面十几倍甚至几十倍，所以，每种又抓一大把扔进腊八粥里去，嘿嘿……

按联合国粮农组织颁布的纤维食品指导大纲，给出了健康人常规饮食中应该含有 30~50g 纤维的建议标准。研究发现，饮食中以六分粗粮、四分细粮最为适宜。而现代人的主食中，含粗粮的成分一直少之又少，偶然吃一点玉米面窝头、燕麦片什么的，也粗粮细做过了头，为掩盖粗粮的粗涩而加奶、加油、加糖，那就失去我们吃粗粮朴实的本意了。

此外，维生素 B 族能防止各类紧张综合征，因此多吃杂粮能让人的心境安宁，情思内敛，更合乎古人对于"冬藏"之要求："肾者主蛰，封藏之本，精之处也……心主火，藏神，应使水火相济，心肾相交，方神清气宁。"

由肉食改为素食的 MM 应有鲜明体会，以肉类为主食的时候，精力易爆发，也易疲倦，无长性，情绪波动大，面色红润却毛孔粗大、易出油，20 多岁时尚可神采奕奕，30 多岁后却演变成略显憔悴的皮肤。

而改为以素食为主的食谱后，会产生变了一个人的感觉，变得心态宁静，获得长久的耐力与韧性，毛孔变得细致干净，很长时间过去，那张脸看起来还是老样子，却仿佛永远不会老去，直达素颜的第二层境界。

猫并不建议大家纯素食，但是可以在明白营养搭配道理的基础上以素食为主，若是不懂得营养知识，以为素食等于减肥餐，结果只会变成一个面色蜡黄的营养不良患者。

工业时代，在满足我们所有欲望的同时，也让我们不定期地服毒。

而一碗朴实的腊八粥，似乎让人又回到了自给自足的小农社会，看似过于简陋，其实糖类、淀粉、油脂、蛋白质、维生素、矿物质、纤维素无所不包，说一花或一叶一世界，并不够贴切，说种子是一个完整的世界，

才是最本质的。

高压锅里的腊八粥咕嘟了很久，让猫等得满腹馋虫，没法子，种子们的使命不是让我吃饱，而是让自己发芽，它们虽然看上去很好吃，却故意包装得很不好消化，想骗我吃了它们，再消化不了原样排出，好用我的肥料来快长快大。哪知道，人会发明"乾坤一锅煮"的高压锅呢。

猫这种一肚子米面豆子的饭桶，写不出什么好诗，所以顺带偷一首陆游的诗给大家，希望大家也像我一样，在深冬，像小婴儿天天睡，肚里装满还未及发芽、开花的小乾坤：

> 世人个个学长年，
> 不悟长年在目前。
> 我得宛丘平易法，
> 只将食粥致神仙。

这么吃，就会比新疆美女还惊艳

为什么果子一到了新疆，就能甜得把牙都粘掉？就连新疆姑娘，也是一个赛一个的艳丽？

女人这种东西的特点之一，就是小嘴一刻也不闲着，接吻固然多，更多的时候用宋传八卦、煲电话粥，就是不讲话了，嘴里也总得吃点什么，不然就觉得很无聊。

猫属于馋嘴又挑剔的一类女人，但好吃又对身体有益的零食并不好找：糕饼类好吃，多半是加入了过多的糖和油脂；肉干中的香辛料和盐决不会少；盐渍的话梅、芒果一类，也少不了盐和糖精；膨化类或是薯条更是绝对的垃圾食品。

常在淘宝上晃悠，不小心撞上一家位于乌鲁木齐的新疆干果小店，从此一发不可收，每个月都在店里采购N多好吃的，口福无穷，再不上附近超市采购零食去也。

秀一下好吃的吧——

新疆哈密大枣：呵呵，美女们的零食怎么能少得了红枣呢？正所谓：门前一棵枣，红颜直到老。咱们新疆好地方，晒干后的哈密大枣，竟然还像个小乒乓球，甜蜜中带有一丝苦味，是药枣的特性。夜里上网，最宜用嚼劲十足的大枣磨牙。

再来，黑加仑葡萄干或是有籽的玫瑰香葡萄干：黑加仑与其他葡萄干

相比，有独特的香味，能补肝益气；而玫瑰香葡萄干，里面的籽脆脆的，配上香软的果肉，真是很丰富的口感，还可以补充葡萄籽精华。

再接下来，特级无花果干：都说世界上最好的无花果是产自伊朗的，猫尝过市面上卖的伊朗无花果，却感觉远比不上新疆无花果的味道。无花果像葡萄一样属强碱性水果，可以中和食肉过多所致的酸性体质，兼具开胃、消肿、解毒、养肺、润肠之功效。

巴旦木：像杏仁的样子，其实不是普通的杏仁，巴旦木的果肉是不能吃的，其果仁却是新疆最著名的干果，据说维吾尔人夜间食用巴旦木10粒，便能一夜沉睡无梦。

新疆枸杞：夜猫子的零食里，滋补肝肾明目的枸杞是少不了的，新疆枸杞与宁夏的不同，宁夏枸杞长形的多，而新疆枸杞是圆圆的，尽管是无水洗无上色的本色包装，还常掉出点泥土、叶片什么的，质量却真是没的说，又红又甜，就连小蔷薇也晓得了，看见大人们泡茶，就要打开茶杯雁过拔毛，把枸杞捞得一颗不留。

每当猫赖在沙发上享用新疆美食，脑子就不停地打转，你说，为什么果子一到了新疆，就能甜得把牙都粘掉？就连新疆姑娘，也是一个赛一个的艳丽？

记得刚毕业的时候，单位里与我同时分来的还有一个新疆哈萨克姑娘，在单位里一露脸，那真是艳惊四座，搞得我们这些朴素的汉族女子，自信心全掉到了脚后跟上。

猫嚼啊嚼啊嚼，还真是嚼出不少道道来。

新疆水果之所以好吃，只因彼处昼夜温差大，白天里得日光之蓬勃，夜间却阴寒到近乎休克，大起大伏之际便结甜果。养颜不也是同一个道理？白天，让激情与美丽一同绽放，我们努力工作、约会、运动；到了晚间，则要乖乖地准时入眠，像婴儿那样做着香甜的梦，让皮肤补充能量，迎接第二天的朝阳。

吃发酵的食物让女人更加洁净芬芳

发酵，就像是把不好消化的东西在体外先让虫子们消化过一遍，咱们再去拾虫牙慧，更把能干的好虫子们吃下肚去，让它继续在咱们的肚子里大展神威，借以抑制那些有害的虫子们。食物们在体外先发过烧，再放过屁，咱们的肚子就安全干净得多了。

学会与体内的细菌和平共处

世上不惧虎狼的人或有之，看见恶心的虫子而不退避三舍的人简直没有。和友人去看《金刚》，一致认为那巨大的金刚没什么可怕的，倒是放大的蠕虫可怕恶心至极，简直可称为视觉暴力。

人的恐惧感是进化生成的，我们所恐惧的，正是最危险的东西。虎狼被人逼得无立足之地，怕它干吗？

唯有那无孔不入的小虫子（细菌、病毒什么的），直接就住在了咱们的身上，吃肉喝血，赶不光驱不净。人得时刻鼓足精神与它对抗。

但凡有些喜怒之情、寒热之风，它立刻得理不让人，越吃越带劲。免疫部队自然是要出动的，然而战争留下的虫尸垃圾一类若不能及时清运，堵塞经络，一样折磨得人痛不欲生。

然而人再小心，虫子仍是杀而不死、老而弥坚的，最终一定是人倦了，一松手，算了，你爱吃不吃吧。

所以这天下是虫子的天下，我们只是比较自以为是的一类宿主罢了。被虫子吃光这个结局，就叫做宿命。

古老的传说中，兀鹫是看得到死神的，即使在天上，也知道哪个人或动物的大限将至，会一直跟在它们后面等待饱餐一顿。

真相是，虫子们早就等不及人死，将死之人免疫力减弱，虫子从防备薄弱的地方，比如七窍，先下手为强，兀鹫便追随腐肉之臭而至。

说起来，人吃点肉肉算什么咧，咱们都以一身血肉喂养无数众生了，这觉悟简直离佛也差不远了，嘿嘿。

中国人和中国文化都是十分善于自省，凡事求诸己的。

看我们对待虫子的态度便可得知。

西医一向主张对细菌一网打尽，中医则温和得多，只是一味反省我是哪里不对了，我是情绪不好还是受热受凉了呢，我自己可得注意一点了，一点也不会责备那虫子的。

这是大家的世界，你要活，虫子也要活，维持一个和平共处的和谐社会是很要紧的。

猫并不反对虫子们有节制地吃我的肉，要是虫子们竟然想要扩张殖民地，想要把俺一个美娇娘变成臭皮囊，猫也会有节制地还以颜色的。

❋吃发酵的食物可化体内的细菌为友

其一，发酵计。

发酵是人类最不可思议的发明，它意味着人类不但学会了与虫共处，也明白了以此虫治彼虫、你吃我我吃你都只是为了活命而已嘛。

关于发酵的好处，猫在以前说了很多，这里就简化一点。人类是世上

最杂的杂食动物，要接纳这样多品种的食物，天上地下地吃，简直是对体格的一种挑战。幸好人类懂得用火把食物煮熟，也学会了用发酵的方式使食物变"熟"。

虽然我们会炒蔬菜来吃，但是却会食用未加热过的泡菜、发酵过的茶叶，比如红茶。红茶被称为熟茶，相比"生"的绿茶，红茶更适合胃寒的人服用，或是作为冬天的热饮。

发酵会发出热量，也会产生大量气体。"生"的食物在肚子里发酵，发出来的气体使人胀气，散发的热量则成为脾胃的"火气"，消化不良的人不但胃里有烧灼感，放屁也臭，更有难闻的口气，牙齿、牙龈也很容易发炎，口唇周围的皮肤不停地长青春痘。肠胃益生菌群减少的老年人，出现上述不适的几率就更高了。

发酵，就像是把不好消化的东西在体外先让虫子们消化过一遍，咱们再去拾虫牙慧，更把能干的好虫子们吃下肚去，让它继续在咱们的肚子里大展神威，借以抑制那些有害的虫子们。食物们在体外先发过烧，再放过屁，咱们的肚子就安全干净得多了。

发酵的食物品种繁多，可喜的是它们不但是上佳的美味，更营养丰富、热量低。原本不好消化的豆类，发酵后变成了鲜美无比的豆豉、腊八豆或是腐乳，营养丰富却不会引起胀气。

粮食发酵而成的米酒、威士忌、啤酒，将深沉的淀粉的能量迅速转化为燃烧激情的源头。

奶类发酵而成的酸奶或奶酪，即使有乳糖不耐受症的东方人也能消化，有营养还能清理肠道。

酸溜溜的中式、韩式泡菜或醋堪称最佳清脂减肥食品。酸入肝经，经常少量吃点酸味食品对女人十分有益。想一下你面对泡菜流出的大把口水吧，那就是阴，最佳滋阴之物。

猫喜爱以泡菜汤代替醋来制作凉面，嘿嘿，那比市面上卖得超贵的保养品"活性酵母口服液"一类更加美味，也生猛得多。

面团经发酵制成的包子、馒头、面包、蛋糕，去掉了不好消化的植酸，却增加了有益的维生素 B 族，成为全球的重要主食之一。

中国人喝茶的习惯是，春夏喝绿茶，秋冬则要喝发酵过的乌龙茶或红茶，相比绿茶，发酵茶更温和，对胃没有刺激性，也不至于让体质偏冷的女性变得更冷。

猫说过，女人千万不能让自己冷嘛，冷是一切麻烦的根源，手脚冰凉、痛经、可恶的斑点……女人一冷，皮肤就没有生气，只有暖女人最漂亮。所以，姐妹们更要多多享受发酵食物的美味，在冬季每日为自己泡一杯暖人心脾的红茶啦。

急着施肥不如改善水土——冬季食补养颜法

　　急着给土地施肥是无益的，改善水土最要紧，土地怕干燥，也怕大水漫灌造成水土流失。

　　使用高科技的滴灌法，极干旱的以色列一样可以种出粮食瓜果。

　　我们的脾胃也是如此。

　　植物每年都在新生，人何以年年变老？

　　所以，除了练习冬眠调息（猫在下一章会具体说到）以养阴之外，冬天有另一件事也值得做一做，就是保养一下辛苦了一年的耕地——我们的脾胃。

　　入秋树木不再生长，可以翻下土了。

　　猫的方法更为简单，一整个冬天，晚餐主食都进半流质，面条、稠的杂粮粥，或松软的面点，都是好消化的东西。

　　这样食物就能在入睡之前消化得差不多，不至于在夜间积食，不但养胃，也能改善睡眠。

　　急着给土地施肥是无益的，改善水土最要紧，土地怕干燥，也怕大水漫灌造成水土流失。

　　使用高科技的滴灌法，极干旱的以色列一样可以种出粮食瓜果。我们

的脾胃也是如此。

素颜美女必要先炼就一副无敌脾胃才行的，否则再怎么进补也是徒劳。

连着几天秋雨下来，猫阳台上的花儿们死的死蔫的蔫，猫提起园艺剪，毫不吝惜地喀嚓一通，有些索性连株端了。

种子和根都留了下来，还要这表面的风光干什么？

阳台上顿时花容失色，黯淡得不得了，这个冬天猫不用再整天管理它们了，猫要去睡觉也。

第三篇　送给 MM 们的呼吸、刮痧及风水护颜法

春夏的阳光调息，一如使人光彩的消费行为，而秋冬的冬眠调息，是让人宁定的储存。光存不花，是苍白的守财奴；光花不存，是上火的月光族，MM 们二者都不可偏颇才好。

使时间放慢的冬眠调息，可以使皮肤看上去更细腻，正如生长得慢的树木木质比较致密一样，身材也会更具柔和的女性美。而阳光呼吸则可使你身材更挺拔，脸色更有光彩，像一个巨大的蜡烛上闪耀着华美的火苗。

在秋冬，我们一定要保证足够的睡眠时间，这是为明年一年的精气神打基础的。一个冬天睡得好，第二年春天你就会发现自己的血色极好，皮肤如婴孩般细腻，由内而外散发出迷人的气韵，素颜天成，宛若新生！

练阳光调息法，换一年好模样

　　健康的美女虽不能完全凭自己的意愿处事，但可以自主呼吸及经营其他调节之道，使身体顺应四季的节律，阴至阴，阳至阳，虽然辛苦，照样年年开花散香。

　　春天，我们体内的阳气随着气温回升，开始扫除陈年的寒湿之气，因此春天算是大扫除的季节来的。

　　春天皮肤总是有很多毛病，易过敏、发红、起疹子、脱皮，变得很娇气难于护理。难怪，皮肤本来是排垃圾的通道，正忙得不得了，但毛孔却未曾大开，水湿一时难以全排出去，便会激出一身的红疹宋。这时不是粉饰太平的时候，赶紧清运垃圾是正经。

　　此时，MM 们最好忍着该死的过敏，不要急于护理皮肤，清晨起来，要更加勤奋地练习阳光呼吸法。你可以增加调息的时间，更可以慢慢拉长吸气后屏息的时间（后者更为有效），让身体尽快暖和起来，驱散陈年秽气。忍受一小段起疹子、花粉症的痛苦，换来的，却是一年当中最为光彩照人的模样。

　　如果一阵调息下来，想到很多一直梦想却未及着手实施的快乐之事，那就赶紧加班去做，辛苦一点也无所谓。春天里所有的生物都是最忙碌的，植物忙着开花，动物们忙着谈恋爱，漫长的冬天里我们积累的除了水湿，还有同样属阴的脂肪，以积极的心态激发出的活力燃烧掉这些脂肪吧，它

们在冬天里储藏起来就是为了春天燃烧的。

MM 们会发现，越是忙，越是美丽，皮肤的过敏症状也去得越快。

如果只是调息，却整天懒散无所事事的话，迅速蹿升的阳气会冲得美女们火气十足加满脸痘痘的。

所以啊，一年之计在于春，趁着太好春日，MM 们一定要在清晨勤奋地练习阳光调息法，而白天则要努力工作，让今年的事业与生活有一个好的开端，也让我们的素颜计划有一个好的开端喔。

用极简呼吸法修复容颜

呼吸很简易，人生岂不是也在一呼一吸之间？呼吸，便是老子那一生二之二，将这二管理好了，永不再生三生亿万烦恼，美丽也就自现。

想要更艳丽的人生，要想美得更久，但又不想生活大起大落，美女们不妨试验一下猫的简易呼吸方法。

呼吸很简易，人生岂不是也在一呼一吸之间？呼吸，便是老子那一生二之二，将这二管理好了，永不再生三生亿万烦恼，美丽也就自现。

一呼一吸之间，吸为阳，生命蓬勃生长如新疆之正午；呼为阴，秋收冬藏如新疆之寒夜。一呼一吸的长短变化，可调整阴阳平衡。

清晨，吸气之后，屏息片刻，再正常呼气。那片刻，可长可短，调息的时间长可，习惯以后，可渐渐延长屏息时间。

此呼吸法，不妨称为阳光呼吸法，就仿佛使河南的正午瞬间加温至新疆的正午，让人精神抖擞，身体迅速温暖起来，以驱除寒症，脸色变得红润有光彩。

而夜间，只需反过来呼吸——呼气之后，屏息片刻，正常吸气即可。使河南的深夜冷却到新疆的深夜，你躁动的心便可平息下来，一夜沉睡，皮肤变得细腻润泽。

用呼吸法调控阴阳，最大的好处是安全，因为，起伏的人生一旦失去控制，生起病会来得更凶猛。

初学瑜伽的美女们，练习阳光呼吸法时可以不必拘泥于英雄坐（图1为正面效果，图2为背面效果）或莲花坐（图3），盘腿正坐（图4）即可。猫初学时也觉得很难，觉得脚踝的压力特别大，有时脚背也会痛，但一旦找对自己感觉很舒服的位置，就很简单了。如果坐一会儿累了，就停下来休息放松，不要让自己觉得不舒服。

初始调息的MM，没呼吸两下，定会心猿意马，草草收场。但只要假以时日，MM们的自控力增强了，调息就能初显成果，自控力、定力与能力同时增加，股市便不至于窜出了如来佛的手掌心。

猫猫心爱的冬眠调息养颜法

> 想让体内的小树苗长成参天大树，想让自己气血充足，脸色一如桃花，想让胸前的小树苗健康地生长，那最好的方法不是一直过春天，一直吃芽苗菜，而是在秋冬的时候咔嚓掉过多的枝叶，让它积蓄养分以待来年的春天萌发。

到十一月份，南方的气温总算凉下来一点了，今年的中秋，是猫经历过最热的，足足持续了半个月的36℃高温，空气湿润得一如春天。

持续整年的春天好不好呢？

女人都是贪心的，美丽要多一点，如果像这个浮华的世界，用尽所有的能量来开花，是不是就能更加艳丽一点？

可惜，那些最艳丽的花，在南方却是压根儿不能种或是种不好的。

比如美丽的藤本月季，在四季分明的温带，它们可以长成巨大的花墙，每年秋冬经修剪后，一到春天就会疯狂萌发；而在这里一年四季都在开，却永远长不大，还不停地生虫子。

春应肝，是血气最旺的季节。春天里，我们的欲望像小树苗一样生长。

春应肝、肝属木，是个难以理解的概念，但大家可以想一下树木的样子——蓬勃向上伸展，不受拘束。植物的枝干向外，而人体的枝干却是向内的，想象你一如树干伸展的血管、筋脉，还有与肝十分密切、也十分像树干的乳腺组织。

— 97 —

　　明白了吗？我们的小树是长在身体里面的。人体的血细胞与树木的叶绿素，看起来风马牛不相及，却是近乎相同的物质，红血球含铁偏多，呈红色，而叶绿素含镁，因此呈绿色，除此之外，它们是一模一样的。

　　在春天，我们吃了青绿色的芽苗菜，血气旺盛，欲望的小树苗飞快地生长。

　　但想让体内的小树苗长成参天大树，想让自己气血充足，脸色一如桃花，想让胸前的小树苗健康地生长，那最好的方法不是一直过春天，一直吃芽苗菜，而是在秋冬的时候咔嚓掉过多的枝叶，让它积蓄养分以待来年的春天萌发。

从新疆的天气悟出来的养颜真谛

> 猫所说的素颜决不是这样扭扭捏捏的美，而是"静若处子，动如脱兔"的美，仿佛新疆美女般至真、至情、至性。这也正是新疆美女艳丽的真谛。

人若把自己当成一颗新疆的果子，就会自短暂的一生中捞到最多的好处，也会喜欢新疆的天气。热，热到似火；冷，冷得结冰。

但这不太像汉族的文化，不知道是中原相对温和的风土影响了汉人，还是克己中庸的儒家文化束缚了汉人。

中国的传统文化是强调凡事不为过的，凡过，则称为淫，不是事事力求极致的那种。

乐，也要克制，悲，也要克制，凡事讲究个乐而不淫，哀而不伤。

晕，好假，感觉自己老掉了。

就连美，也是小家碧玉的秀气，透不出内在的艳光。

猫不好说哪一种美更悦目些，只觉得内敛固然好，但时时事事的中庸克制，很无聊。

那些没有像咱们这样拥有多年悠久历史的民族，似乎总是疯狂闹腾许多，不晓得有没有情形失控的，无据可考。至少在猫修习瑜伽的时候，感受到与汉中原全然不同的文化，让猫领略了另一种像新疆天气一般的走极端之人生，也体悟到可像新疆美女一般艳丽的真谛。

猫体会过身体扭曲到极致时全身的颤抖，其实很快乐，是生之狂欢；也像尸体一般放松，像在预先体验死亡。

有人对瑜伽很误解，说像是柔软体操，再模仿几种动物就好。其实瑜伽比这还要简单得多，它是教人用极紧张和极放松的交替按摩身心而已。

人体怎么模仿得出像新疆那样的天气呢?

猫告诉你——要获得火热白昼的阳气，就要放任自己进行更紧张、更多的工作、运动，趁时机尚可赶紧吃肉、喝酒，放松、调息，迅速地实施自己的想法，更多在阳光下行动。

而到了夜间，是死亡的一次预演，自黄昏开始最好素食、松弛，调暗灯光，喝滋阴的汤水，然后睡美容觉。

拥抱像荷包蛋一样香喷喷的睡眠

在秋冬，我们一定要保证足够的睡眠时间，这是为明年一年的精气神打基础的。

一个冬天睡得好，第二年春天你就会发现自己的血色极好，皮肤如婴孩般细腻，由内而外散发出迷人的气韵，素颜天成，宛若新生！

✖ 冬天睡得好，春天才有好素颜

一直生长的小树木，到了肃杀的秋天，也要开始落叶子了。秋天是肺金当令的时节，肺如此柔软娇气的器官，为何以金称之？它怎能如剪刀一般剪掉枝叶？

若真是剪刀，小树木可不鸟它，你修剪你的，我长我的，修剪得越勤快，树木株型反而更丰满。正如旺盛的肝火，若有人斥责你威胁你压制你，那口鸟气如何压得下去？就算表面强压怒火，背后也要骂他娘的。

唯有天气，似是至柔无形之物，但植物却无不听它号令，冬天一到万木凋，并不需要用剪刀。到了秋天，若胸中有肃杀之气，长个没完的小树木自然老实地缩头睡觉去。

可是，这个秋天气候过于温暖，使本该盛于春的肝火无法停息——金本

克木，无奈木太强大，金反受其害、一因此这个秋天，听到周围朋友此起彼伏地在咳嗽，甚至一咳几个月都不见好的。

此时，若能调整自己的呼吸，则可以克制这种为害的能量，也避免体力的大量消耗，留着它们用于明年的生长。（猫是刚下岗的奶牛，因此十分憧憬小树苗能长高点，使自己的 CUP 升个级，嘿嘿。）

方法十分简单，只是要把我们春天的调息法反过来练。缓慢自然地吸、呼，呼气之后，屏息片刻，再吸气。每天在睡前调息 10 分钟以上，你就会觉得眼皮十分沉重，恨不得立刻倒头就睡，所以这个方法也非常适用于失眠的 MM。

它与春天的调息法不同，那个不能多练，因为现在的环境早就是"阳常有余、阴常不足"，有许多东西都在激发我们的欲望，钱、美食、奢侈品，做提升阳气的呼吸，只是在清晨起来或是春困、精力不足时练习一下足矣。若是储存不够，你并没有过多的精力可以激发出来。

而使你不停想睡的冬眠呼吸法就不同，为了对抗越来越浮躁的世风，凡是你觉得心烦意乱的时候，它都能使你冷静而不必压抑。只是临睡前的调息时间要更长，屏息时间也要更长才好。

只是短暂的屏息，效果却超乎想象。

猫夜里有码字的习惯，12 点之前一般睡不着，如果哪天晚上 10 点半调息 20 分钟，立刻倒头大睡直至早上太阳晒屁股，就如荷包蛋一般香喷喷的睡眠多么难得。

最好的美容方法当然是睡眠，没有任何其他方法能够超越美容觉的效果。

临睡前的短暂调息，可以使睡眠更加深沉，不容易醒来或做梦。在秋冬，我们一定要保证足够的睡眠时间，这是为明年一年的精气神打基础的。

一个冬天睡得好，第二年春天你就会发现自己的血色极好，皮肤如零岁婴孩般细腻，由内而外散发出迷人的气韵，素颜天成，宛若新生！

用冬眠调息，就可以防治你的妇科病

扯到最后，再来加上一点点关于以冬眠调息配合妇科病治疗的法子。

因冬眠调息，最利平息肝火，比如像肝火旺、肝气郁结、肝阴虚湿热引起的女人问题，在解决的时候，都可以辅以冬眠调息法。还有，像因胆经不畅引起的鱼尾纹（肝胆互为表里）、乳腺增生及胸部发育不良以及因肝经湿热下注引起的妇科炎症，如各类阴道炎、宫颈炎；甚至黄褐斑等都可以用此法调理。

有上述症状的女人，日常生活中只怕会时时感觉到心情烦躁，很容易发火吧。另外，在使用护肤品或是用药的时候，若辅以良好的调息，不但症状去得迅速，复发的几率也要小得多喔。

肝火这东西是很难驾驭的，即使服药使之平息，但一遇上变暖的天气，肝的小树木一会儿又会生长起来。

无物以克木，唯金克木，好好地呼吸吧。岁月在你身体上留下的痕迹，都可用冬眠调息来抚平。

"肥美而不见肉，清瘦而不见骨"
——素颜美人的一生，不就呼吸二事

> "肥美而不见肉，清瘦而不见骨"，这种古典美女的境界只须通过最为简单的呼吸就可以达到。科学家们用了流水般的银子，上山下海提炼出来的精华，都不如我们最平实的呼吸。

猫花了很长时间写调息，对这个看起来很玄妙的功课，猫在这里要再总结几句。

春夏的阳光调息，一如使人光彩的消费行为，而秋冬的冬眠调息，是让人宁定的储存。

光存不花，是苍白的守财奴；光花不存，是上火的月光族，MM们二者都不可偏颇才好。

使时间放慢的冬眠调息，可以使皮肤看上去更细腻，正如生长得慢的树木木质比较致密一样，身材也会更具柔和的女性美。而阳光呼吸则可使你身材更挺拔，脸色更有光彩，像一个巨大的蜡烛上闪耀着华美的火苗。

因此中国古人形容美女：肥美而不见肉，清瘦而不见骨，这是阴阳调和的好状态，不是一味减肥搞出来的排骨女人能够达到的境界。

最为简单的呼吸，可以达到这么神奇的效果吗？科学家们用了流水般的银子，上山下海提炼出来的精华，却不如我们最平实的呼吸么？这肯定会令很多MM难以置信。

其实，人的一生，不就是呼吸二事？当你面临压力时，呼吸立刻急促起来；而准备爆发的时候，便会深吸一口气然后屏息；如果一件担忧的事情终于有了结果，你便自然地长出一口气……

中文有一个词，叫做：一念。一念即为一呼一吸，这个词语来自佛教，佛经说人的一念之间，便有八万四千烦恼，能在呼吸间停息一时，忘记烦恼，多么难得。在那一刻，耀眼的光芒便从你的心中喷泻而出，点亮了凡世。在那一刻，你就是闪亮的素颜美人。

借音乐调息，变人间尤物

> 经常借音乐的力量来滋养我们的心灵，内心就会变得美好，外表自然素雅洁净，仿佛清丽脱俗的仙子，不慎堕入了凡尘。

有 MM 抱怨说，看起来简单的东西，其实更难做到。现代女性在都市中生活，习惯了十分嘈杂的环境，一下子想要静下来面对自己，竟然杂念丛生。调息许久，依然胡思乱想。一下要改变固有的呼吸模式，更是蹩脚，甚至不知道应该怎么呼吸了。

那猫就来一个更简化版。

可以使人的呼吸节奏立刻得到均匀改变的神物，自然是音乐，而从音乐中得益最多的是冬眠调息法。

选择自己最喜欢的慢调音乐，无需考虑品味高低，你喜欢的，就是入你心的东西。可以是中国民乐，如果是西方古典音乐的话，最好选择拖着长声的咏叹调或是摇篮曲。

想想唱歌（摇滚乐除外）的时候，是不是尽可能地把一口气使用到最长的时间？因此，唱歌本身就是人类所发明的一种使人心情宁定的呼吸法。

借用音乐来调息，如果你能同时跟着唱，那就更好了，不是歌唱家的你也要试着唱美声唱法的咏叹调，借音乐的节奏来完全放慢呼吸。

所有宗教，无一不借助音乐，和尚们会诵经，基督徒会唱诗，瑜伽不是宗教，也有独特的语音冥想法；中国古代的私塾教育，也是要求幼童们把古文很有韵律地唱诵出来。所以，音乐不单是吹拉弹唱，应该包括吟诵才更为妥当。

现在的人常喜欢边干活边听音乐以减轻压力，实在是可惜了音乐的力量。

以音乐的形式调息，最好在一个完全不受打扰的环境，将手边所有的事情抛开，专心地跟随音乐的节奏，在缓慢的吸气后，尽可能用这，一口气唱诵更长的时间。完全将空气呼出后，停息片刻，就像再拖个长声，然后开始下一次吸气。

一段时间的音乐调息后，可以关掉音乐，这时你的心当可完全平静下来，不借助音乐也能好好地调息了。

猫的调息音乐，经常更换，不过也可列一些曲目出来，供 MM 们参考：

中国古曲《阳关三叠》：一唱三叹的音乐，非常适合调息；

圣桑的《天鹅》：猫十分喜欢那种宁静的气氛；

《申秘园》系列，缓和忧伤的旋律，可以使心情立刻安宁……

类似的音乐还有很多，猫也随心随缘地经常添加。MM 选择音乐也是，随心随缘，喜欢就好。

经常借音乐的力量来滋养我们的心灵，内心就会变得美好，外表自然素雅洁净，仿佛清丽脱俗的仙子，不慎堕入了凡尘。

冬调息，春调情

　　不想成为女高音的MM们一定要及时花掉冬天的积蓄才行，什么时候花呢？春天再花吧，花钱这件事不怎么用教，实在没地儿花了就去谈恋爱吧。爱情这种东西可是天价的养颜佳品，素颜美人岂可没有爱情的滋润？

　　我们借呼吸的力量进入了寒冬，我们存下来的精气存在先天之本——肾中。肾藏精，肾的形状像一颗豆子，它所主的颜色，是黑色，所主的味道，是咸味。

　　MM们从上面这段话引发了什么灵感么？对了，为了使我们的精力好好地收藏，就应在冬天好好对待自己的肾。

　　加入各类谷物及豆类的腊八粥是冬天最佳食品，种子们藏了植物的"精"。关于腊八粥，猫已经在前面谈过，不再啰唆。

　　而黑色的咸咸的东西则可追溯至我们生命的起源：海洋，那里带有天然咸味的、黑色的海藻、海带、海苔类，是人类精气的上佳护卫来的。生命的最初样式正是单细胞藻类，人于冬季返还先祖谋求庇护。

　　猫说过，光存不花，是苍白的守财奴。而且，可能会是肥胖的守财奴。

　　正因音乐的天然调息功效，使得胖人更适合唱美声，而唱美声的歌唱家，越唱越胖，像帕瓦罗蒂，一度胖得无法站立足够的时间来完成一场音乐会。国内某些一流歌唱家也有横向发展的趋势，嘿嘿，不点名了。

不想成为女高音的 MM 们一定要及时花掉冬天的积蓄才行，什么时候花呢？春天再花吧，花钱这件事不怎么用教，实在没地儿花了就去谈恋爱吧。爱情这种东西可是天价的养颜佳品，素颜美人岂可没有爱情的滋润？

猫云："冬调息，春调情，甚好。"

练习了一个冬季的冬眠调息，我们体内积蓄了足够的可使我们身心温暖也使皮肤娇嫩的脂肪，然后，春天到了，阳气上升，这些东东继续留在体内反成灾害。这时，我们不仅要抓紧时间谈场恋爱，更要辛勤工作，让这些存货变成实实在在的养育素颜的原材料。

试问：冬天过去了，美丽还会远吗？

身心多一分放松，容颜添二分美丽

要让自己美丽，首先要学会寻找一切让自己放松的方法，包括练瑜伽，如此，你的容颜才不惧风雨，才能得到真正长久地巩固。

某夜，猫在练习瑜伽。

只有小蔷薇睡了，猫才有自己的时间做做久违的瑜伽。

有一些瑜伽姿势，对女人保持骨盆的气血通畅很有用处，比如猫式、虎式、蝴蝶式、神猴哈努曼式，或是坐角式。

坐角式其实很简单，坐在地板上，双脚分开，能成为一字更好。然后身体向下压，把上身贴在地面上。

做这套坐角式，猫的前胸早就能贴在地上，这之后，似乎无论怎样努力，也不能再向下了，小腹和地板总是有一段距离。幸好猫不是追求完美的人，不会让自己龇牙咧嘴地更进一步。

一天，猫正练到此处，忽听 DVD 里张蕙兰说："你可以着意呼气，放松双腿，使它们能更加舒展开来。"

原来如此，忽然似有了悟。猫以前每到前胸贴地时，双腿早已紧张到僵硬，没想过能再着意放松。这回猫延长了呼气的时间，却感受到双腿的松动，于是，身体忽然软下来，能再向下一步了。

猫的坐角式忽然进步神速，每至第五次呼吸，身体就能平贴在地上。

原来，不是更多的努力和紧张让我更进一步的，而是完全放松使原本

这个总是让猫痛苦的坐角式，它治好
了猫的痛经，让猫在每个月的 7 天里，不
再花容扭曲，让猫在其余的日子里，容光
焕发。因此猫认为，凡是让女人容颜宁馨
的锻炼都是与女人有着不解之缘的。

已成僵局的情形忽然通畅。

经常练习瑜伽的 MM 都知道，在做那些让你痛苦的、需要再多考验一点韧性和耐性的动作时，就会配合呼气，若是那个动作很痛苦，就配合长长的呼气。

这和我们平时活动的状态不同，平时，我们在努力、紧张地求得更进一步时，往往会不自觉地憋气，如果状态非常紧张，连呼吸也会不由自主

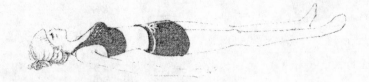

"仰尸功"，顾名思义就是"仰面躺着的尸体"，这个名字听上去像"九阴白骨爪"一样阴森可怕，其实它是一种毫无杀伤力的放松运动。

地急促起来。直到放松下来了，才会长长呼出一口气。

瑜伽的呼吸很奇怪，在最松弛时，比如做仰尸功的时候，用呼气来放松；在极紧张的时候，也常用呼气；在极度松弛时，反能求得极紧张也不能达到的柔软、耐力和定力。

当我们想更进一步时，忍不住将工作日程排得满满的，恨不得一天多出 48 个小时，恨不得把计划精确到分钟。这样努力后，我们看到了自己获得的，却没想过自己失去了什么。

当我们精确地以逻辑思维去追寻一个目标，比如攀登一级级台阶之时，若有一级卡壳，便会如入山重水复之境。而以宁静的直觉去感懵未来，人生似有诸多方向，未知而令人兴奋，此路不通时，尚有千万条路可走。

所以，要让自己美丽，首先要学会寻找一切让自己放松的方法，练瑜伽也好，游泳也好，恋爱也不失为一种有效的方法，但要全身心投入，享受其过程之美好，如此，你的容颜才不惧风雨，才能得到真正长久地巩固。

与清晨水乳交融

> 这清晨的活动，就像与心爱之人（阳气）的约会，你夜里的滋补莫不是为了心仪的他？没有爱的男人会有美丽的女人么？反正我没见过风情万种的尼姑。

早睡早起比阿胶、燕窝还要滋养

从来，女人所经历的周期都比男人复杂一些，不仅有年周期和月周期，还有天周期。

大周期：除了一些极内陆地区，一天之内的温度变化是有限的，但我们还是应该适应自然微小的变化。滋阴之物宜作为夜宵，它们能使你睡得更好，香甜的睡眠才是真正的滋补之物。所以，请务必于夜里 11 点之前入睡，此时人体气血通过胆经，堪称最为高效的睡眠。

而在清晨，太阳起来的时候你也该起来了。清晨五六点钟正如一天中的春季，春应肝，此时还懒猫猫，肝气就不得抒发，正如广告所说："肝郁，会使女人的心情不好。"

岂止心情不好，还有消耗不掉的脂肪，排不干净的血液……

补益过甚、排泄不净的结果是严重的，人会发胖、阴盛、体寒、血淤、

面黄起斑，循环不畅还会导致黑眼圈和眼袋。

肝经、胆经不通畅，身体有二处尤其受累，一为乳房，不得足够滋养，反因排泄不畅造成乳腺增生；二为眼周，此处为胆经经过之处，若堆积了垃圾，鱼尾纹指日可待。

平民 MM 喝猪蹄汤也好，有钱 MM 喝燕窝汤也好，看你们还敢懒不，如果你很懒，那么所补进去的，均为垃圾汤。

✕ 清晨的运动，就像与心爱之人的约会

有 MM 问猫，你说夜里补阴，那么，是不是夜里要喝很多水呢？不是说夜里 9 点后就不要再喝水了么？

在这里，猫要郑重澄清一个概念，猫所说的水，是指身体之水，或指身体阴液。你可以将之看成一种收敛、浓缩、黏稠之体液，也可理解为因气温下降、阴气上升，使身体进入安静、修复、储存状态的某种东西。

为什么猫一直建议大家在夜里服用胶质？就因它们能凝固保全水分，气温下降时身体会有多余的水分，与其不停起来尿尿或把水装进眼袋，不如给它们找个地方待着。

清晨起来干什么呢？用掉昨天晚上补进去的营养。

运动、工作、晒太阳、泡热水澡都好，也可以练习猫猫的阳光呼吸法。温度与活动使阴气化开成为真正的水布满全身，你便是水当当的女生。

这清晨的活动，就像与心爱之人（阳气）的约会，你夜里的滋补莫不是为了心仪的他？没有爱的男人会有美丽的女人么？反正我没见过风情万种的尼姑。

要养素颜，隔三差五应刮痧

要刮痧，就要下定"以后我隔三差五就刮痧"的想法，要是三年五载只计划一次大扫除，那扫到一半就会生病的。刮痧时，乎法要从轻到重，让身体有一个适应的过程。

"最近你在忙什么？"一个朋友问猫。

"我在研究刮痧，特别是背部的督脉和膀胱经的刮痧，因为膀胱经最是利水通道来的。"

"不要再扯刮痧，骗人的，我上次身体不好，想去好好刮个痧排个毒，结果回来就大病一场。"朋友很是愤愤不平。

猫一点也不惊奇，因为类似的事听多了。猫说那是你不会刮，保健刮痧不是什么难事，但怎么刮很有讲究。

"怎么刮？不就是一刮，然后就发现哪儿哪儿都酸痛，于是在酸痛的地方多刮点，背上就出了很多痧，看上去很有效果，谁想到会大病一场呢！"

"你打算刮一次，就把所有痧都刮出来对吧……"

猫研究进出水，就是从致病的刮痧开始的。从一个家庭妇女的角度，猫发现了刮痧暗藏的问题。

"如果一间房子，很久没打扫过了，有很多灰尘，主妇们要从哪儿入手呢？"

"去接一盆水，然后冲……"

正确，打扫脏污之物，要用水。

排除身体毒素，也要用水。在刮痧这里，除了水，用得最多的是血。

身体经络一旦不通，污物就会堆积阻塞，流速变慢的血液在皮下会渗出血管，成为离经之血。

刮痧就是将这些离经之血排出，使血管经络重归通畅，身体各部分得到新鲜血液的滋养。

因此，称刮痧是"以泄为补"，一点也不夸张。

问题是，离经之血也是血，将它们排泄出体外，身体也会损失阴气，更何况还有其他体液的协助，例如排汗、排尿，犹如水龙头大开放水。

现在的人比较懒，不到身体难受到不行，垃圾堆了一身，是不会花两个钟头去刮痧的。

一般的师傅也理解病人的心情，不会说："你分上 10 个疗程来刮痧好

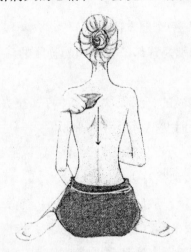

用刮痧板的一角，板身与皮肤倾斜 45 度，由上至下刮拭，每个动作重复 5 ~ 8 次，直至出痧为止。

不好……"会一次就给你刮得满背花花，以显示成绩。

做面部美容刮痧，也有这种倾向，一次不让你看到足够的效果，下次你就不来的。

但一次冲水太多，阴气消耗过甚，身体失衡，哪有不病之理？

要刮痧，就要下定"以后我隔三差五就刮痧"的想法，要是三年五载只计划一次大扫除，那扫到一半就会生病的。刮痧时，手法要从轻到重，让身体有一个适应的过程。

把滋阴的美食放在刮痧的疗程里吃，最为适合不过。总之，手边不能离水，才是猫式刮痧法。

除了刮痧之外，所有的排毒及减肥功课，无不类似，时常进行缓效、边排边补的方法，正如边出边进，吐故纳新，最好。

猫式面部刮痧法——造就素颜美人的秘方

面部是虫子们的聚集之地，清洁应该比较勤快才好，一周做两次轻柔的手指刮痧，面部就会变得很干净，新鲜血液得以注入，面色也会变得很好。但切记：手法要轻，刮完后一定要喝杯温水。平时也要多注意补阴，才有足够水分做好清洁工作啊。

猫一直有两个小宝贝，就是两块牛角做的刮痧板：厚实的用来刮背部，另一块小巧玲珑的，用来刮面部。至于刮痧油，用的当然是猫家香艳的桃花白芷油了。

其实选择刮痧板，牛角或玉石的都非常好用，然而说到适合脸部形状的，猫到今天也没碰到一块真正合意的。因为脸部器官众多，此起彼伏，

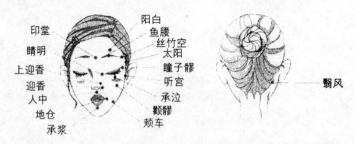

再加上脸部皮肤实在太嫩，牛角刮痧板转折时略过用力，就会伤害皮肤。

因此在千挑万选之后，猫放弃了坚硬的牛角，改用手指做脸部刮痧，手指虽然柔软，却更轻更缓不伤面部，且圆转如意，灵活得很，坚持下来

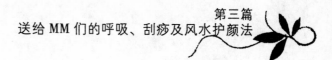

比刮痧板效果更为理想。

大家读书的时候，想必都做过眼保健操吧，手指刮痧的方法，就类似于眼保健操第四节，以大拇指支撑在脸部两侧，两食指由里向外成圆弧形刮拭，大拇指自太阳穴沿脸外侧依次往下移动，整张脸都能刮拭到，再用手指重点按揉一些穴位，就可使脸部经络畅通，再辅以祛风化瘀的刮痧油，毛孔会很干净，你就是人人嫉妒的小脸美人。

手指刮痧分步详解（每个步骤可重复 3～5 次，刮完全脸为一个疗程，以重复 3～5 个疗程为宜）：

步骤一：以食指、中指、无名指三指并拢，按揉前额上部；大拇指按

住太阳穴作支撑，两食指自前额上部中间向两侧刮拭；以大拇指按揉太阳穴。

步骤二：半握拳，大拇指弯曲，以大拇指的骨节处按摩印堂穴；大拇指按住太阳穴作支撑，两食指自印堂向两侧刮拭，经阳白穴至眉梢丝竹空穴。以大拇指按揉太阳穴。

步骤三：以中指按揉睛明穴；大拇指按住太阳穴作支撑，两食指前端自睛明穴沿眉毛下部向两侧刮拭，经鱼腰穴（眉毛中心）刮至外眼角瞳子

髎穴；以中指按揉瞳子髎穴。

步骤四：以中指按揉睛明穴；大拇指按住太阳穴作支撑，两食指前端自睛明穴沿眼下向两侧刮拭，经承泣穴刮至外眼角瞳子谬穴；以中指按揉

瞳子髎穴。

步骤五：以中指按揉上迎香穴；两食指自上迎香穴向两侧刮拭，经四

白穴刮至太阳穴；以大拇指按揉太阳穴。

步骤六：以中指按揉迎香穴；大拇指下移按住听宫穴作支撑，两食指自迎香穴沿颧骨内下方向两侧刮拭，经颧谬穴刮至听宫穴；以中指按揉听宫穴。

步骤七：弯曲一根食指，自前额沿鼻梁向鼻尖刮拭；大拇指下移，按住颧骨外侧作支撑，弯曲食指，以两食指骨节，自鼻尖向两侧刮拭鼻翼。

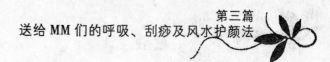

步骤八：以中指按揉人中穴；大拇指按住颧骨外侧作支撑，两食指沿

上唇向两侧刮至嘴角地仓穴；以中指按揉地仓穴。

步骤九：以中指按揉承浆穴；大拇指下移，按住脸下外侧作支撑，两食指沿下唇住颌骨方向向两侧刮拭，经地仓穴至颊车穴；以中指按揉颊车穴。

步骤十：弯曲一根食指，刮拭颌骨下方下巴部位（可以大拇指按于颌骨下方作支撑）；两侧大拇指及食指配合，捏紧下巴部位，沿颌骨下缘向两侧边捏边移动，直至耳下；以中指按揉耳后翳风穴。

　　好了，这就是一套完整的猫式面部刮痧了。

　　呼，猫吐出一口长气，拖了很久，在最后才下定决心来写这一段。要把这一套手指刮痧表述出来，实在是很令猫伤脑筋，但只要认真照做一次，就会发现它太容易掌握了。因为手指有一定宽度，即使认穴不精准也不会影响效果。

猫言猫语

　　以普通的基础油刮痧后，可以用温水将油洗去，做其他护肤程序；也可以以热毛巾熏蒸面部，吸去浮油，不需要再洗，也不需再用其他护肤用品，面部就会很有干净透明感。

若使用加了白芷类香料的刮痧油，最好不要洗掉，用热毛巾吸去浮油就好。而且，刮后两个小时内面部不能见阳光，否则易诱发色斑。也不要立刻用冷水洗脸，不要做收紧毛孔的面膜，以免脏物排泄不完。

最好夜间做刮痧，次日清早再做收缩毛孔的面膜，效果会更好。

面部是虫子们的聚集之地，清洁应该比较勤快才好，一周做两次轻柔的手指刮痧，面部就会变得很干净，新鲜血液得以注入，面色也会变得很好。但切记：手法要轻，刮完后一定要喝杯温水。平时也要多注意补阴，才有足够水分做好清洁工作啊。

这样完整的一套做下来，当当当当，一个素颜美人就新鲜出炉啦。

最后照例以窜改的诗作结：

> 心似菩提树，
>
> 脸似明镜台。
>
> 时时勤拂拭，
>
> 勿使闹虫灾。

氧气美女之 360 度全身大扫除法

> 温和有节制的有氧运动就可以使体内的气血动起来，经常运动就是对虫子的常规化骚扰。过于激烈而不持续的运动则相反，激烈运动调动的气血如果没有配合足够的放松练习，不能归经而积存在体内，简直是在给虫子们送粮食。

给身体大扫除和给房子做扫除不同，咱们能做的只是让身体畅通起来，闹得虫子不能够停下来安居乐业也就算了，水至清则无鱼，人至清，连命也没有了。

身体全面扫除之法，就是运动。温和有节制的有氧运动就可以使体内的气血动起来，经常运动就是对虫子的常规化骚扰。过于激烈而不持续的运动则相反，激烈运动调动的气血如果没有配合足够的放松练习，不能归经而积存在体内，简直是在给虫子们送粮食。

当然还会有些局部战争的，重点一为七窍，一为肠胃。诀窍也是经常地骚扰，最好一天一骚扰，让虫子们不得安生。

清早起来，一杯淡盐水就可以将肠道清洗干净。再出门呼吸一下新鲜空气，清晨的太阳很珍贵，伸伸腿弯弯腰，温和地运动一下。

猫喜爱在清早连续做上几个瑜伽拜日式，一个能让身体迅速暖和起来的系列姿势。

盐水加上运动，也许就会想要去蹲厕所了。

拜日式是很有效的热身运动，拜日即是向太阳致敬。据说古代印度人清晨起床后，面对地平线上那冉冉升起的太阳，为表达心中的膜拜之情创造了这套姿势，以感激太阳赐予人类光明和能量。所以，做拜日式时，心中要满怀感激之情喔。

全新面部驱虫法——恢复少女般的小嫩脸

面部经常性除虫是必要的，适时清运垃圾更重要，及时将垃圾运走了，路通了，虫子们也就没什么地方好待了，美丽也就回来了。

比较少见的是清洗鼻孔也用淡盐水，手指捏住一个鼻孔，用另一个鼻孔将盐水轻轻吸入，在鼻腔里打一个转，再将水吸至喉咙吐出。

这一招我一直做不到，吸入盐水后只能咽下肚去，但呼吸道内有少量的虫子是不至于搞坏肠胃的。B44

坚持经常清洗鼻腔，致病的虫子们最喜欢的宝地——上呼吸道就变得很干净了，用这种方式可以减少90%以上的感冒。

用眼过度的现代人，眼睛周围的循环往往不是很流畅。经常按摩眼周穴位可以通经络，实在不会按摩的，那就经常做做眼保健操吧。

开夜车的时候，猫爱喝枸杞菊花茶，同时可用热茶的蒸气熏蒸双眼，这也是一个缓解眼部疲劳的好方法。

如果饮食上不注意，胃火上炎是经常会碰上的，连带牙齿、牙龈也跟着红肿发炎。此时除了万用的淡盐水，还可以加入菊花，煎成菊花漱口水，可以喝，也可以一日多次用来漱口，口臭和牙龈发炎的情况就可以得到缓解。

眼部、鼻部及上呼吸道还有口腔，的确是虫子们的重灾区。有时我们看一个人，身上皮肤过了 10 年也没什么变化，脸却像换了一个人，脸也还是那张脸，就是不知道那些细小的部位怎么多出了肉肉来，渐渐地长"横"了——少女有立体感的小脸变成了偏浑圆的熟女脸，因此熟女化妆时常要多费工夫使脸显瘦，显出立体感来。

这就是横行于眼鼻口部的虫子们干的好事：一次又一次的感冒、上火、用眼过度，在脸上密集地留下痕迹，青春不再，美丽不再。

即使虫子们多半被清除了，免疫细胞与虫子们战斗留下的垃圾仍堆在了脸上，垃圾堵塞经络，使脸部得不到鲜活的营养而变得黯淡，堵塞毛孔使之变得粗大。这可恶可恨的虫子啊。

所以，面部经常性除虫是必要的，适时清运垃圾更重要，及时将垃圾运走了，路通了，虫子们也就没什么地方好待了，美丽也就回来了。

风水恰好正养颜

漓江是一条很婀娜柔美很有女人味的江，这条江的水，很养女人。两广地区天气湿热，因此女孩子脸上也多生面疱和黑斑，而桂林的女孩子，大多身材苗条、皮肤白嫩，秘密就在这漓江水上。

哪里的风景最美丽？每个人一定都有自己的见解，但猫猫毫不脸红地宣布，猫的老家桂林，是最宜人类居住的地方。

美丽的风景，常在险远之处，为追寻它，脸晒黑脚走破，回到家看相片才感觉到美。不像在桂林，即使居于闹市，也开门见山，推窗见水。在炎夏，随便找个岩洞，靠在石凳上看一整天的书，凉风习习，不披件针织衫简直还会感冒呢！只有这样风气清闲的小城市才适宜消磨时光，要是换了在上海、北京，一寸光阴一寸金，谁能这样挥金如土呢？

所以，天气一热，猫就回老家啦。小蔷薇正在学走路，走得东倒西歪，猫被迫整天跟着她日光浴。奇怪的是，不管太阳怎么毒辣，只要回桂林住上几天，猫立刻就被养得红红白白的了。

漓江是一条很婀娜柔美很有女人味的江，这条江的水，很养女人。两广地区天气湿热，因此女孩子脸上也多生面疱和黑斑，而桂林的女孩子，大多身材苗条、皮肤白嫩，秘密就在这漓江水上。

桂林是典型的喀斯特地形，地面上的山、地下的溶洞，都是流水长期冲刷石灰岩形成的，这些溶于水的石灰岩（钟乳石），使江水成了健康的弱碱性的。弱碱性是人体液的最佳状态，此时人的心情安宁，毛孔细腻，不容易长痘痘。

在古代，钟乳石被视为药石，同时也是美容的佳品，唐代柳宗元在《与崔饶州论石钟乳书》中写道，少量服用它，可以"使人荣华温柔，其气宣流，生胃通肠，寿善康宁，心平意舒，其乐愉愉"。

从其他地方来到桂林的人，住上几天，就会特别想吃肉，感觉肚子里的油水都被刮掉了。也难怪，现代人体质偏酸性，大多数是高脂肪高糖高热量饮食引起的，一下子被碱性的江水洗干净肠胃、血液，竟然会觉得不习惯呢。桂林女人何其幸运，每日饮用、洗浴都托这江水的福，无论是苗条的身材还是细腻的皮肤，都缘于此。

女人是不适合做剧烈运动的

> 女人是适合剧烈运动的，剧烈运动更易使身体发酸，同时体内雄激素分泌增加，毛发变粗，毛孔粗大，让咱变帅哥啦。所以，最适合女人的是配合着深呼吸强度适中的有氧运动。

✂ 深深地腹式呼吸，让脂肪快快燃烧

虽然不是所有的女人都能生在漓江边或是其他出产优质碱性矿泉水的地区，可是要防止身体酸化，却是另有他法。

女人在剧烈运动（无氧运动）时，身体不是通过脂肪而是葡萄糖燃烧产生能量，其残渣就是乳酸。如果生活压力大，不知不觉长期保持急促的胸式呼吸，吸入的氧气不够，那即使是普通的活动，也会产生乳酸。

过多的乳酸如果代谢不出体外，人体就会变酸。摄入过多高油、高糖及精制食物，而碱性食物如粗粮、蔬菜摄入严重不足，人体也会变酸。

酸性体质是一种慢性疲劳的体质，此时人多处于亚健康状态。

酸性废弃物堆在关节或器官内会引发炎症，而堆积于血管则会使血流不畅。所以，MM 们会经常觉得身体（特别是肩背）酸痛疲乏、手脚冰冷、肤色灰暗、起斑点及痛经，而排不出去的污物更会引起皮肤松弛和毛孔粗大。

适合女人的是配合着深呼吸强度适中的有氧运动——在一天的所有时刻，保持从容的心境，深深地腹式呼吸，永远不要把自己搞得上气不接下气。要记住，只有氧气能燃烧我们的脂肪，而不是让我们全身发酸。

所以说，经常性的有氧运动也是实现素颜的步骤之一。

✄如何打发掉衰老这尊瘟神

如果哪一天真是把咱们累坏了——猫虽整日空谈美容调养，被小蔷薇整得累坏却是经常的事——就需要一些高效的东西恢复活力：喝矿泉水，泡个澡，都能促进血液循环，有利于乳酸及其他酸性物质的排出。

除此之外，还有一些极简单的食物——

海带：由于其生长过程中吸附各种矿物质，所以海带汤简直就是强力矿泉水。运动后也可用海带汤代替功能饮料，可惜的是，它同样也吸附铅、汞等重金属。

干红：唯一为碱性的酒类（强碱性），能迅速使身体恢复碱性，其中所含白黎芦醇及水杨酸，是天然的抗氧化剂，有强力的抗凝血作用，它甚至可以像药物（例如阿司匹林）一样防治血栓，对付我们这副海吃海喝的肚皮更是绰绰有余啦。即使在吃过大鱼大肉后，也能迅速恢复血液酸碱平衡，保持血液循环畅通。

说到红酒，猫又忍不住节外生枝啦！

提红酒，怎么能不提超级有名，连大 S 和牛尔都推荐过的红酒面膜呢？

红酒用于面膜，其实就是因为其中所含的水杨酸之功。水杨酸又称BHA 或柔肤果酸，因其为脂溶性，故去除角质、清洁毛孔的效果比一般果酸强，刺激性较小，且有淡化色斑的作用。

猫言猫语

偶尔用红酒做做面膜，是可以让皮肤变得干净、收小毛孔的，不过大家都知道的啦，去角质产品是不能天天用的，过度去角质会使皮肤防御能力变差，变得敏感、刺痛或产生红斑。

另外，酸性的保养品用过后就不能晒太阳，所以只能晚上用。要是像牛尔说的天天把红酒面膜当保湿凝胶用，甚至涂着它就外出晒太阳，那就惨了。不如像猫一般，天天内服，偶尔外用，这才是正确使用红酒的方法喔。

醋：醋虽然酸，却是碱性的，它含有的枸橼酸能促进乳酸代谢。

维生素 B：维持体内正常糖代谢、分解乳酸必不可少的维生素，对减轻经前紧张综合征及因此长出来的痘痘有特效，多吃糙米、豆类或是经发酵的面食就能补充。

如果在经前感觉浑身不对，似乎要生痘痘了，最好立刻用维生素 B，针剂或片剂溶解做个纸膜，消炎效果很好的，可以将蠢蠢欲动的痘子消灭在萌芽状态！

你看，虽然为了未来，为了房子、车子、票子、孩子，累得臭死是家常便饭，难道就任由自己这样老下去？何不用一粥一饭一茶一酒，打发了衰老这尊瘟神？

真的累了，到桂林来吧，喝几天刮油的漓江水，像猫一样去山洞里吹

碱性及酸性食物表

弱碱性食物	马铃薯、高丽菜、芦笋、竹笋、豌豆、菇类、南瓜、莲藕、豆腐、苹果、梨子、香蕉、菠萝、樱桃、桃子、牛蒡。
强碱性食物	牛奶、番茄、胡瓜、白萝卜、胡萝卜、无花果、菠菜、芹菜、柑桔、葡萄、芋头、海带、葡萄干。
弱酸性食物	火腿、奶油、鸡蛋、鲷鱼、虾子、鲍鱼、蛤蜊、八爪鱼、通心面、巧克力、油炸类食物、葱、炸鸡。
强酸性食物	牛肉、猪肉、鲔鱼、牡蛎、芝士、米、面包、酒、花生米、香肠、糖果、饼干、白糖。

吹风，猫就隐身在温软的山水之间，说不定能有幸碰上你，为美女拎拎包呢。

第四篇 自助养颜，粉面含春

　　人之所以长皮肤，不仅是用来臭美的，更是用来保护自己的、它就是一扇遮挡外物入侵的门户，偶然开门，是要向外扔垃圾，你却不停地想敲开它塞点东西进去。实际上，女人的关丽是靠身体自行调节的、

　　很多时候，匆匆在手上试用过的东西，回家后却发现并不适用。只能怪女人大善变，工业化做不到那么体贴。DIY 则是欢喜你的人在家里为你烧的私房小菜，虽然餐具、桌布都是旧的，却单体贴你一人的胃口、

　　这些天，猫在炮制"不计成本"牌花露水，不计成本到了连花露水里添加的薄荷和罗勒，都是自己从小种子种出来的。工业化有工业化的规则，所有的流程可以分解、私房菜是另一种规则，私房菜是，加的小葱也是自己种的，连醋，也是川年前自家酿的。

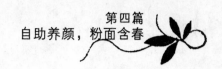

有多少化妆品对不起你正在培育的素颜

> 再怎么说，用自己DIY的产品来养育素颜，也比用包含了大笔广告费、场地费且不知根底的大牌产品更让人放心，不是吗？而且猫已经开始享受到DIY的可靠、高效与美妙了。

✂ 50元钱的化妆品是怎样卖到1000元的

先说明一下，猫曾经遭遇过一个化妆品行业资深人士。对方是一个具有十多年化妆品生产及零售经验的帅哥，有自己的化妆品厂、自有品牌，并开设了数十家化妆品零售店面，销售各国进口的中高档化妆品。

下面的对话只是一个谈话而已，猫不担保以下道听途说内容的完全真实度，希望来听八卦的人有自己的判断力。

帅哥送给猫一瓶乳液。

猫："这怎么好意思？"

"呵呵，自家厂里生产的，成本不会超过50块。"

猫："喔，看上去不会这么便宜，你卖多少？"

"不多，也就200多。"

猫："这么暴利？"

"这还叫暴利啊，商场里 1000 块的乳液也就是 50 块的成本。"

猫："你们怎么把 50 块的东西卖到 1000 块呢？"

"这样说吧，我倒着推给你听：一瓶乳液，在商场里卖 1000 块，1000 块钱里，商场要收取 270 块柜台费，这是按营业额的 27% 收取。"

猫："要收 27% 之多，还是以营业额计，多了点吧？"

"不多，要知道化妆品柜台总是占了商场最黄金的首层，最显著最整块的位置一般都是用来卖化妆品的。然后，再交增值税 170 块，现在只剩 560 块了。"

"除了柜台费，商场一般都还要再收取像促销费、管理费等各种杂费，算 50 块吧。"

"我是零售商，现在我得到了 510 块，劳驾，我不姓雷，我要赚钱的，养了不少人呢。至少要赚 100 块吧，那我能接受本地代理商怎样的批发价？最多也就 410 块。"

"本地代理商也不姓雷啊，也要赚钱的，养了不少人呢，至少要赚 100 块吧，那么我从区域代理商的拿货价，也就 310 块了。"

"区域代理商也不姓雷啊（猫狂笑），也要赚钱的，养了不少人呢，至少要赚 100 块吧，厂家你给我 210 块的出厂价，我也赚不了多少啊。"

"厂家：办个厂我容易么，我找地、建厂房、买生产线、请工人、交一堆这费那费，这不都是钱么，再说了，说服你花 1000 块买 50 块的东西我容易嘛，我请林志玲或者张曼玉一起来说服你，她们也是要收钱的，七七八八算下来，算 120 块吧。"

猫："嘿嘿，好歹还有差不多 100 块钱的东西让我享用吧。"

"还没完呢，你什么时候见到商场能一年到头全价卖东西啦，现在竞争那么激烈，动不动就被逼着让个利、打个折，亏本也要顶上去啊。"

"东西打折了，可是很多费用是硬性的啊，不能打折的，代理商的利润已经很薄了，利润再降，就该不干了。所以这降价的压力就一层层，从各级代理商一直压回厂家。"

"厂家怎么办呢，他去压原料商降价。如果你是原料商，是得罪不起我

这种大客户的，降价又要亏本，你怎么办？"

猫："嘿嘿，我偷工减料一点……"

"真是英雄所见略同啊，那100块，打点折，兑点水，降低点质量，就50块了嘛。"

猫："那你为什么只卖200多，姓雷啊？"

"我直销啊，我有自己的直营店，没中间环节啦。卖200多我也赚得不少。老实说，这200多，比那些进口的1000多块的货真价实多了。"

猫："那你把它们和高档进口化妆品一起卖，不是自己抢自己的饭碗，那1000多的还能卖掉？"

"充大头的多了，用200多的哪对得起我这张脸啊，非1000多不买，不赚女人的钱，我赚谁去？"

❀ 中药护肤只是在炒时髦的概念

接下去再换一个八卦话题：

猫："你考虑过在化妆品中加入中药成分么？"

"那当然啦，现在这概念炒得火得不得了，很多人就认这个，我肯定也要跟一把风的。"

猫："只是……跟个概念？"

"对啊，谁不是跟个概念呢？化妆品加入中药，成本会有多高，你知道么小姐？"

"首先，中药都是些原植物，要萃取出来才能用，你可能会觉得，中药，比如说当归，并不贵，但是你需要大量原药，才能萃取少量有效成分，比起化工制剂来，它们还是贵得要死，要记住我们的成本是控制在50块的。"

"像中药这样的植物成分，酸败速度也是最快的，储存占地方，保鲜也不容易，不加足够的防腐剂，控制不了质量，加太多，又会产生副作用，

比如过敏。"

"再说了，中药这东西，起效超慢的，你大概连续用上一年才能看到效果，大部分女人不吃这一套的，用过恨不得立刻变白，让她等一年，早换成别的品牌了。"

"所以说，借用个概念，加少量象征性成分，什么当归啊首乌啊，主要起效成分还要用化学制剂。MM 一看，用过效果好，又是中药成分，放心了，继续买。"

"没加的东西肯定不能在成分上注明，不过成分又不用注明浓度的，加一点点，也是加了……"

猫听了上面这段话，便决计不再浪费大把的银子去采购所谓的高档护肤品了，再怎么说，用自己 DIY 的产品来养育素颜，也比用包含了大笔广告费、场地费且不知根底的大牌产品更让人放心，不是吗？

而且，猫已经开始享受到 DIY 的可靠、高效与美妙了。

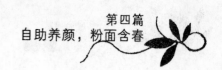

只有量身定做的，才是最体贴素颜的

这些天，猫在炮制"不计成本"牌花露水，不计成本到了连花露水里添加的薄荷和罗勒，都是自己从小种子种出来的。工业化有工业化的规则，所有的流程可以分解。私房菜是另一种规则，私房菜是，加的小葱也是自己种的，连醋，也是10年前自家酿的。

DIY护肤品绝对是一件乐趣大过结果的事情。想想看，你可以依照季节的变换和自己的喜好，随时不计成本地更换配方，而丝毫不用担心追赶时尚追到钱包脱皮，那感觉多么惬意！

猫自从开始DIY第一瓶护肤品的时候，就被那种调试的浪漫和效果的惊喜一举击中，并已经预感到，今后怕是要少很多逛化妆品柜台和泡美容院的乐趣了。但是，丢弃华而不实的感官效果，亲自选择一种植物基础油、植物精粹、花水、精油，来做滋润从头到脚各个部位的私房护肤品，用心体会那单适合自己的甜美芬芳，并与自己的亲人或闺蜜们分享，那种美妙的体验，怕是再热情的美容院和厂家都难以做到的吧。

但猫只怕读书的MM们把猫的DIY小体验当成了万用灵丹妙药，赶紧做一下补充说明——

即使是自制成分最为简单的护肤品，也是需要添加乳化剂、抗菌剂一类东东的。

没有乳化剂的话，乳液啊面霜啊就不会有那果冻般的质感，女人总是

很善于联想的，看见果冻般的凝露，立刻联想到水当当的肌肤，若是杏黄色丰润的乳霜，则会联想到冬天干燥的气候里肤如凝脂的时刻，这是多么美妙的感觉！据说，当一个人接受并享受护肤的过程时，护肤往往更有效果，因为美好的心情能促进保养品的吸收，所以，一旦缺了这美丽粉嫩的质感，护肤效果自然大打折扣。

至于抗菌剂，猫用的都是最小的剂量，只是为了让我们亲手制作的东东可以存放得更久一点。因为护肤品中的水分会引起细菌等微生物的滋生，使用时手指又会上百次地接触产品，便会加速繁殖，想想吧，不添加一些抗菌剂，那东西谁还敢用？

所以，DIY护肤品最好能以100ml为基准，添加抗菌剂0.5ml。当然，即做即用的话，也完全可以不加的。

对于那些已经爱上了自制护肤品的MM们，千万不要一做就瓶子罐子一整套——做多了容易滋生细菌。

洁面产品和乳液，猫都建议你做最基础款的，并且剂量要小，而将真正的保养成分加进面膜里面。

洁面产品和乳液里的保养成分，一旦遇到水，就容易坏掉或失去活性，把它们放在水分多的乳液里不是个好主意。而面膜是可以随做随用的，最容易保持新鲜。洁面后，MM可随时制做补水及营养面膜，用以替代化妆水和精华液。

化妆水的本意是二次清洁，如果洁面已经做得很好，化妆水就可有可无。而且，化妆水添加的保养成分极少，在脸上停留的时间也极短，起不到多大效果。自己做的营养面膜，里面都是好东西，完全可以达到精华液的浓度（果酸类有腐蚀性保养成分的除外）。

最后说一下乳液，它只是能起到保湿效果而已。

总结一下，就是一定要坚持用最基础的乳液，最奢侈的面膜。

呵呵，不脸红地说，猫现在已经被闺蜜们尊称为DIY女王啦。

至于猫用来DIY的原料，大多来自淘宝网，因为猫所在的城市找不到出售护肤品原料的实体店。但现在网络上类似的店铺多如牛毛，真伪难辨，

所以 MM 们在选择原料的时候一定要货比三家、小心谨慎喔。

猫很喜欢的一家淘宝小店，是个从事中医的女孩子开的，常和她在网上聊天。

她说："猫，要三天后才能给你发货，因为全部是现做的。我的中药是普通的，但粉粉比药店里做得细致，因为我磨过之后，会再过好几次筛。"

猫一想到有人专门为我一遍遍筛选药粉，就感到心情好好。一直有这种"很体贴"的私房菜情结，但我却不认识化妆品厂生产车间流水线上哪个工人……

这些天，猫在炮制"不计成本"牌花露水，不计成本到了连花露水里添加的薄荷和罗勒，都是自己从小种子种出来的。

工业化有工业化的规则，所有的流程可以分解。私房菜是另一种规则，私房菜是，加的小葱也是自己种的，连醋，也是 10 年前自家酿的。

想来想去，体贴素颜的产品是不能广泛分享的，想来，能够广泛分享的，只有体贴的文字罢了。

身体自己会调节美丽
——为什么"不洗脸美容法"久负盛名

> 人之所以长皮肤，不仅是用来臭美的，更是用来保护自己的。它就是一扇遮挡外物入侵的门户，偶然开门，是要向外扔垃圾，你却不停地想敲开它塞点东西进去。实际上，女人的美丽是靠身体自行调节的。

脸是用来排泄的，不是用来吃饭的

对于时下盛行的"不洗脸美容法"，猫忍不住也来八卦一下。

话说女孩子们化妆成风的日韩，竟然流行起不洗脸或少洗脸来啦，说面部其实有天然皮脂分泌，比那些霜啊乳啊不知道好多少，因此索性只用清水洗脸，据称：皮肤从此好得不得了……

猫相信这种美容法对很多 MM 一定十分有效。为什么？因为 MM 们那套繁琐的护肤程序，纯属自毁皮肤，不洗脸，一定是建立在不用彩妆和简化护肤的基础上的，光这一点就足够，天天毁习惯了的，忽然有一天不毁，皮肤当然"好得不得了"。

有人要说了，不会吧，我用了 N 种国际品牌，每年用在护肤上的钱钱数以万计，你竟然说我在毁肤？

皮肤是什么？

百度百科搜索如下：

皮肤是人体最大的器官，总重量占体重的5％～15％，总面积为1.5～2平方米……皮肤覆盖全身，它使体内各种组织和器官免受物理性、机械性、化学性和病原微生物性的侵袭。皮肤具有两个方面的屏障作用：一方面防止体内水分、电解质和其他物质的丢失；另一方面阻止外界有害物质的侵入。

此外，皮肤也是十分重要的排泄器官。

明白了么，人之所以长皮肤，不仅是用来臭美的，更是用来保护自己的。它就是一扇遮挡外物入侵的门户，偶然开门，是要向外扔垃圾的，你却不停地想敲开它塞点东西进去。

你会用专用的排泄器官，比如屁股，来吃饭么？晕，吃饭是用嘴的……嘿，那干吗把那么贵重的营养全涂在脸上，而不是让管吸收的器官来负责呢？

有女说，我怕那管吸收的官员贪污克扣，不运营养给皮肤灾区……

那猫告诉她，你可以想法子强化你的运输队——血管，爱护心脏，保养肝脏，怎么也轮不到脸啊。

尊重皮肤开门扔垃圾的自然需求

不停化妆和护肤的结果是什么？是过敏。

作为国防前哨的皮肤，皮下分布丰富的淋巴管以对抗细菌等外来入侵，岜们搞不懂你只是想抹点什么营养啊二精华啊保养它来的，它的行事原则很简单：没什么刺激的，放过去；有刺激的，一律当成来犯之敌。

一旦奇怪的入侵事件多了，皮肤的免疫系统就被搞得颇为紧张，最后，不免对细微的刺激也产生强烈反应，于是形成讨厌的皮肤过敏及各种皮肤病。

懒于护肤者，皮肤反而比较皮实。而自早年就开始使用彩妆的美女们，则多感觉皮肤十分脆弱，极易过敏，老是出现各种莫名其妙的皮肤问题。

还有一个细小却危害巨大的护肤流程：收缩毛孔。

毛孔张开做什么呢，用一个流行词语来说，排毒啊。

皮肤经络不通，血行不畅，污物堆积，自然毛孔粗大。人越老脏东西越多，毛孔就越粗大。为了让它们显得细嫩点，于是用含有酒精的收缩水，或是用冰水，强行收缩皮肤。

本来用温水清洗得好好的，或者加按摩，使血流通畅，代谢自然加快，污物正在排出之际，忽然换用冰水，犹如刚方便到一半，被人强行拖出厕所。

拜托，我是精密无比的上帝所造之人体，我便完了，自会关上门户，无需用酒精的。

因此，最为简单且人道的护肤方法，就是有效清洁皮肤，尽量少用异物刺激之，用嘴吃饭，尊重皮肤开门扔垃圾的自然需求。

所以，护肤时，一定要权衡美肤和引发皮肤过敏之间的利弊，简化护肤程序就对了。

一般来说，名牌护肤品总会有自己的主打成分，都是好东西，但好东西的叠加，就不一定好了。护肤品本已成分复杂，涂完一种，再涂一种，这个系列没用完，新品却已面市……

猫却建议，用最简单朴实的东西清洁及保护好你的皮肤，使用离你最近的东西，比如冬瓜，我们的老祖宗吃了几千年了，女人们的手在厨房里切冬瓜也切了几千年，这东东绝不会引发过敏的……（过敏性体质的 MM 除外，她们对任何东西都可能过敏。）

把自己的脸当婴儿的皮肤来对待

当人接受并享受一种化妆品时，护肤往往更有效果，因为接受的心情能促进保养品的吸收。所以，好心情都没了，皮肤还能有光泽吗？素颜又从何而来？

南国春来早，这些天阳光灿烂，气温跟着腾腾腾地往上蹿，再用冬天用惯的面霜，就觉得很黏腻了。

护肤品换季，是猫很头痛的事情。

在猫快奔三的时候，是很优待自己的，各国各色化妆品，换来换去地往脸上涂，这瓶没用完，天气又变了，赶紧去换时尚杂志上广告吹得最响的一款试试，真像一只活跃过度的小白鼠。

老实说，开启一瓶新的护肤品，是很开心的时刻，充满了期待。现在的保养品，连瓶子都做得那么精致，粉嫩的带着清新香气的液体涂在脸上，皮肤是很有快感的。

但猫这张脸像是铁打的，用吹得再神的护肤品也没怎么显效，用再烂的廉价护肤品也不起痘长斑。一个字：晕！

人过了30，浮躁的心情反而沉淀了下来，明白了护肤品那粉嫩的颜色需额外加入色素，除了增加预算及皮肤负担以外并无好处；也明白了有的乳液"一用就吸收"，其实只是因为添加了酒精帮助挥发，那种"立刻被皮肤吸进去"的好心情也就没有了。

猫说过，当人接受并享受一种化妆品时，护肤往往更有效果，因为接受的心情能促进保养品的吸收。所以，好心情都没了，皮肤还能有光泽吗？素颜又从何而来？

佛经里有句话，感觉很能总结猫寻找护肤品的心情："一切有相，皆是虚妄，若见诸相非相，即见如来。"

听起来很玄，其实就是告诉你，表面上的东西都是假的，眼睛是骗人的，要是你明白了凡事的本质并非眼睛所见，并非外部感官所感受，就算是醒悟了。

猫算不得醒悟，但为肚中宝宝计，于是鼻子一嗅一嗅的，四处寻觅"无香精、无色素、无矿物油"的护肤产品。

结果，只有婴儿产品才能达到标准，但婴儿产品只是单纯温和保湿而已，想要找到熟女所需美白、防皱、抗老化诸般效果集一身的宝贝东西，难。看来，要想得到最适合自己的护肤品，只有 DIY 这一条路可走了。

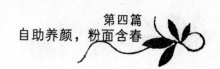

柠檬蛋黄酱，活肤没商量

> 取新鲜鸡蛋两个，打开蛋取出蛋黄，放在猫家的超级大碗里用打蛋器不停搅拌，一边搅一边加油，每次一小勺。就这样，慢慢地，平素绝不相溶的油和水便神奇地拥抱了，变成了漂亮的嫩黄色酱汁。

前些天，猫购得打蛋器一个，用于制作家中拌沙拉的蛋黄酱，爱吃沙拉的 MM 肯定喜欢那种酸酸香香的口味吧。其实特简单，在蛋黄中加入色拉油和果汁，就能做成蛋黄酱。

取新鲜鸡蛋两个，打开蛋取出蛋黄，放在猫家的超级大碗里用打蛋器不停搅拌，一边搅一边加油，每次一小勺。要有耐心哦，加入色拉油的速度应慢一点，才能使油与蛋黄有完全融合的时间。就这样，慢慢地，平素绝不相溶的油和水便神奇地拥抱了，变成了漂亮的嫩黄色酱汁。

猫言猫语

调好的蛋黄酱又散开时，可用这个方法补救：另外再取一个蛋黄，加一点凉开调匀后，加入原有的蛋黄酱中，即可使已散开的液体，再成乳状的蛋黄酱。

猫再加进柠檬汁，开足打蛋器，搅啊搅啊搅，忽然，眼睛一亮，见到

猫记蛋黄酱

成分	用量	说明
新鲜蛋黄	2个	要做蛋黄酱的鸡蛋，不要在冰箱中贮藏，以免蛋黄失去弹性，容易散开。
色拉油	半纸杯	无论是大豆色拉油，还是菜籽色拉油，都可以，品牌不限。
柠檬汁	半纸杯	如果没有柠檬汁，用白醋代替也可以。

了如来。

平素我们护肤，最需的无非油和水，水当当的皮肤没有油，保湿效果不长久；有油无水，却又过于黏腻。因此需用乳化剂使油水结合，成为乳液，同时达到补水及保湿之效。我们日常用的乳液，就是这么简单制成的。

蛋黄中的卵磷脂，是一种乳化剂，更是一种天然的解毒剂，它能分解体内过多的毒素，并经肝脏和肾脏的处理排出体外，当体内的毒素降低到一定的浓度时，脸上的斑点和青春痘就会慢慢消失。

柠檬汁美白去角质，再加上蛋黄的滋润效果，因此蛋黄酱也是很好的活肤面膜来的。

猫第一次制作蛋黄的时候，无知得很，把所有原料一股脑儿全倒进碗里疯狂地搅拌，后来我与一位原料店老板聊天时才知晓了其中的奥秘。

"晕，没见过你那样拌蛋黄酱的！"原料店的老板狂笑不止。

"在春夏的时候，你要做成水包油的清爽型，就是先把乳化剂加入水做成凝胶状的，再加入油分，这就是水包油。"

"啊，那油包水的咧？"无知的猫问道。

"先把乳化剂融到油里，再加入水，就是油包水的，这样的乳液更滋润。"

晕，猫真是长见识了，看来凡事必须自己动手，就算将来变懒了去买专柜的东西，也买得明白一点，不是吗？

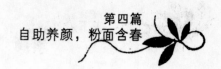

不计成本，素颜不请自来

猫的"不计成本牌"陆续发到闺蜜手中，连用惯兰蔻的MM也把原来的护肤品扔到一边来用猫的"不计成本牌"，手机也跟着响个没完，那简直是好评如潮，连闺蜜的妈妈们也来索取了，兼订做抗皱护肤品。看来，猫的处女之作大获成功啊。

✁人参保湿精华液，5分钟就美丽

某天，俺在淘宝上找到一家物品超齐全的化妆品原料专卖店，于是猫的"不计成本"牌护肤品制作计划正式启动。

所谓的不计成本，意思是，简直犯不着去计算成本，就算把很多好原料全用上，还是比市售的护肤品便宜N倍，何需再计较小节？

先计划一下近期需要做的护肤品：人参玻尿酸保湿精华液、杏仁玫瑰乳液。

人参玻尿酸保湿精华液的制作过程不好意思的简单，将玻尿酸水溶液、人参萃取精露加上纯净水混合均匀，再加入化妆品级抗菌剂，就OK啦！

制作成本：玻尿酸8元，人参萃取精露4元，抗菌剂0.3元，共12.3元。

人参玻尿酸保湿精华液（100ml）

成分	用量	成分说明
1%玻尿酸水溶液	20ml	玻尿酸是一种存在于真皮中的粘多糖，又称透明质酸，具有相当好的吸水性，保湿功能超强，可称得上是保养成分中最厉害的保湿因子，不仅能留住皮肤水分，还能捕捉外界水分以保持皮肤湿度，广泛用于中高档护肤品。
人参萃取精露	10ml	人参的主要成分为人参皂甙、人参活素、少量挥发油、各种氨基酸和肽类、葡萄糖、果糖、果胶以及维生素 B_1、B_2、烟酸、泛酸等。人参的浸出液可以被皮肤缓慢吸收，扩张皮肤的毛细血管，促进皮肤血液循环，增加细胞的活力，延迟衰老，抑制黑色素的产生，是化妆品中极好的营养添加剂。
纯净水	70ml	
抗菌剂	0.2ml	因为现做现用，加上一定能在3个月内用完，因此猫加了最小剂量。

制作时间：5分钟。

猫言猫语

因为没有额外加入凝胶的关系，猫制作的精华液比市售的稀薄些，但是搽到脸上还是会有很"黏"的效果，这是玻尿酸的关系，很多市售精华液都添加有玻尿酸，用手相互摩擦很黏，黏度持续很久的，才是优良品质的表示。

❋自制杏仁玫瑰乳液，你绝不比雅诗兰黛小姐差

再说杏仁玫瑰乳液，因为用得多，所以猫动用了做蛋黄酱的超级大碗来做，超级豪放的说。

所有的东东扔进大碗里，豪放的猫猫开动打蛋器，我搅我搅我搅……

杏仁玫瑰乳液(300ml)

成分	用量	成分说明
甜杏仁油	30ml	用猫爱吃的杏仁,以冷压方式榨出来的甜杏仁油,是一种相当好的按摩基础用油,富含维生素E,能润肤、软化角质,关键是性质极其温和,就连小婴儿也可放心使用。猫就是挪用了小蔷薇的按摩油来制作乳液的。
纯净水	255ml	矿泉水、蒸馏水也可以。
日本冷作清爽型简易乳化剂	3ml	类似于蛋黄的效果。
甘油	10ml	这就没什么好说的了,甘油主要是用于保湿。
1%玻尿酸水溶液	5ml	因为买多了,为了不浪费,索性连乳液里也加,反正"不计成本"。
玫瑰精油	1ml	只是喜欢它的味道,其实不加也可以。

一大碗香喷喷的蛋黄酱出炉了……

制作成本：甜杏仁油30元，纯净水1元，简易乳化剂3元，甘油1元，玻尿酸水溶液2元，玫瑰精油12元，共计49元。

制作时间：30分钟。

— 151 —

猫言猫语

这款乳液也比市售的乳液要稀一些，比较像蜜而不是乳液，甜杏仁油本身比较清爽，适合猫所在的湿热的南方，而市售乳液会考虑到产品用到皮肤上的感觉，因此会加入增稠剂来使产品更像"乳"。不过，保湿效果超好，不油，很水灵，而且能持续很久。

因为预订的人太多，猫早就预备好大瓶小瓶一大堆，用漏斗一瓶一瓶地灌装。

蔷薇爸爸过来帮忙灌装，惊呼："中国的雅诗兰黛小姐就此诞生啦！"

❉素颜共享，其情融融

当晚，猫便带着期待的心情搽"不计成本牌"香香了。过去看韩剧《大长今》，很喜欢里面所说的："做的菜好吃，是因为有诚意。"

猫今后怕是少了逛化妆品柜台和泡美容院的乐趣，但猫亲爱的闺蜜们有福了。

猫的"不计成本牌"陆续发到闺蜜手中，连用惯兰蔻的 MM 也把原来的护肤品扔到一边，来用猫的"不计成本牌"，手机也跟着响个没完，那简直是好评如潮，连闺蜜的妈妈们也来索取了，兼订做抗皱护肤品。

看来，猫的处女之作大获成功啊。

猫的原料已用完了，只好让老友们预订下季。

猫也盼望夏季的来临，甚至已经在肚子里计划好下季的菜单，在阳台上种了多多的薄荷和罗勒，只为了让夏季的香香更清凉一些。

因为做得太上瘾，又额外制作了小蔷薇及蔷薇爸爸的乳液，小蔷薇当然还是她的甜杏仁油，爸爸的，则添加了尤加利精油，好让他油性、易生

痘痘的皮肤收敛一些。

爸爸和小蔷薇现在都很喜欢搽香香，而且一定要妈妈来搽，猫的手指拂过他们脸上每一个角落，感叹："蔷薇，你的脸多么水嫩；爸爸，你比 10 年前老了……"

"妈妈你也是。"

猫下定决心要做一款更为适合男士的护肤品，让最近很疲劳的爸爸看上去更精神一些。

其实在妈妈眼中他还是很师，除了强尼·戴普之外世上第二帅的男人。

虽然是他如花的美眷，也不禁感叹似水的流年，但所幸无需"在幽闺自怜"，因有良人相伴，两相怜惜。

有时，我想，素颜就是在如此其乐融融的环境里生长、开花的吧。

忍不住要和 JM 们分享余光中的诗，那是猫最喜欢的。

两相惜

哦，赠我仙人的金发梳

黄金的梳柄象牙齿

梳去今朝的灰发鬓

梳来往日的黑云丝

百年梳三万六千回

梳是拱桥啊发是水

流水冲断了几座桥

桥下逝去了多少水

梳去今朝的灰黯黯

梳回往日的亮乌乌

哦，赠我仙人的金发梳

我就会赠你银耳坠

荡在玲珑的小耳垂

守住珍贵的红屇窝

象对辟邪的小守卫

守住唇边的浅浅笑

和你眉下的好风景

不许时间的间谍队

布下细细的鱼尾纹

或是额上的隐隐沟

将你的妩媚暗暗偷

哦，我就会赠你银耳坠

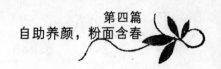

盛妆当丰美，不胜素颜雅
——猫咪自制护肤品体验后续

> 很多时候，匆匆在手上试用过的东西，回家后却发现并不适用。只能怪女人太善变，工业化做不到那么体贴。DIY 则是欢喜你的人在家里为你烧的私房小菜，虽然餐具、桌布都是旧的，却单体贴你一人的胃口。

春暖花开，猫带着"不计成本牌"喜滋滋地回老家，被护肤品早已用到断货的堂姐妹们抢劫一空，连随身携带的小样也无一幸免。

然而用完后反响却不够好，电话又打爆了：

"不够油哎，太清爽啦。"

"我搽了三次才勉强够滋润。"

猫忘记了，在家里平均气温早升到 25℃ 以上，老家却还带了早春的寒意，几百公里的空间之外，10% 的油相（100ml 乳液用 10ml 甜杏仁油）就不够用了。

堂妹的皮肤比猫的还要偏干一点，强烈抗议猫的体贴度不够，晕。

女人就是如此麻烦，你的皮肤干一点，她的油一点，或者脸颊有点干，T 区却出油长痘痘。天气热一点就怕香香太油，最好 oil free 才好；天气凉一点又怕干得起皮，搽很多滋润的香香还顶不住。

体贴的猫只好好人做到底，保证"做 20% 油相的乳液来补偿，再继续

供应其他东东……"这才勉强被释放。

幸奸是 DIY，去专柜买，钱包早脱皮了。专柜的护肤品更透明些就奸了，比如列明滋润度几级、保湿度几级、刺激性几级……很多时候，匆匆在手上试用过的东西，回家后却发现并不适用。只能怪女人太善变，工业化做不到那么体贴。

所以说，买专柜货或是 DIY，是两种感受，专柜货色香俱佳，包装、服务一流，有如去五星饭店吃大餐，但你再贵宾级，饭店也不会单为你一人服务；DIY 则是欢喜你的人在家里为你烧的私房小菜，虽然餐具、桌布都是旧的，却单体贴你一人的胃口。

例如，猫的小蔷薇，一直是在用最温和的甜杏仁油；给先生做的，可以用橄榄油；而猫自己，在夏天用甜杏仁油或是荷荷芭油，到冬天，却考虑试用滋润度更好的芝麻油和月见草油。

猫言猫语

在温度及湿度变化大的时候，一次做 50ml 就好，这样就可以适时调整保湿剂和油水的比例。嘻嘻，猫终于为女人的善变找到了解决的办法。

红花素颜两相惜——自制红花洗面慕丝

过去妇人以红花泡茶，谓之"净面茶"。但红花若服用不慎，破血祛瘀过于厉害，则容易造成月经过多。只是有轻微斑点的MM，无需喝净面茶，单用红花洗脸便会有所改善。

中国医药对于养颜美容的研究，堪称世界一流，但不知是受限于萃取技术或是其他，市面上常见的美容品中，常见产自北美的金缕梅、山金车或是产自德国的洋甘菊成分，却少有中国传统的白芷、桃花、益母草或是桑叶，真可惜。

女人上30之后，因内分泌问题或压力过大，常有因血液循环不畅而致的面部色素沉着、肤色不均匀，中医常以桃仁或红花活血通经、散瘀止痛。

猫言猫语

过去妇人以红花泡茶，谓之"净面茶"。但红花若服用不慎，破血祛瘀过于厉害，则容易造成月经过多。只是有轻微斑点的MM，无需喝净面茶，单用红花洗脸便会有所改善。

猫在厨房里翻来翻去，找到一包未用完的红花，大喜过望，决定就地取材，就用它了。

红花洗面慕丝（100ml）

成分	用量	说明
氨基酸起泡剂	20ml	这是最为温和的起泡剂，因为猫的脸到春天也会有一点敏感的。
红花汁液	70ml	用100ml的水加上大约1两红花，煮后过滤，差不多就可以得到这么多。
甘油	10ml	甘油虽然号称"皮肤的卫兵"，滋润效果超级强大，但不宜直接使用，否则起不到润肤的作用，反而会把皮肤上的水分也夺走。
抗菌剂	0.2ml	

猫做的剂量虽然不少，但是学聪明了，用大瓶装好放入冰箱，每次用小旅行装的瓶子取用，更加安全卫生喔。

猫先取了一部分装入刚买来的慕丝瓶，就是一按就会出好多细细的泡泡那种，由于起泡过程不在脸上，避免了对皮肤的伤害。就像洗头，也最好不要在头发上搓泡泡，要先搓出泡泡再洗，是一个道理来的。

第二天早上洗完脸，感觉到从未有过的洁净畅快，仿佛为娇脸做了一次体贴的按摩，所有脏东西都跑光光也。

全效未必高效——自制最适合自己的防晒隔离霜

本来猫还贪心，想在里边加上点其他美白成分，但让好心的店家制止了，说防晒产品就是为了防晒，加多了东西反而增加堵塞毛孔的危险。有道理，猫再次领悟了"全效未必高效"的道理。

防晒隔离霜（200ml，SPF15）

成分	用量
二氧化钛	12g
硅灵	20ml
乳化剂	2ml
甘油	10ml
水	170ml
抗菌剂	0.4ml

太阳好毒了，所以要早早防晒，下面是一个物理防晒的配方，好简单的：

其实市面上所有的物理防晒隔离霜几乎都是这样的配方,物理防晒成分二氧化钛粉末并不溶于水,也不溶于油,只是浮在皮肤表面隔离紫外线,所以为了保证清爽度,只好使用化学合成油脂硅灵了。

硅灵既能保湿,又很顺滑,不易堵塞毛孔。

本来猫还贪心,想在里边加上点其他美白成分,但让好心的店家制止了,说防晒产品就是为了防晒,加多了东西反而增加堵塞毛孔的危险。

有道理,猫再次领悟了"全效未必高效"的道理。

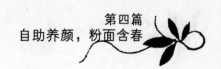

吐尽心中丝万缕，拨云见日滴清颜
——自制蚕丝蛋白面膜

种桑养蚕，本来就是中国人的老传统，以丝素美容，也算不上稀奇，就连蚕儿们吃的桑叶，也是"性极平和，不冷不热，不燥不湿"的补血滋阴佳品呢。只是这些年来护肤品市场尽是舶来品，偶有国货走俏，反而成了新闻。

嘿嘿，今天找到好东西——蚕丝蛋白了，在矿泉水中加入1%的粉末融化，加个纸膜就可以敷脸了。

忍不住回忆起小时候冬天总是用的丝素霜，亲切得很。近年来网上也在热卖迷奇的丝素蜜，不记得小时候用的是不是这个品牌了，印象中那时有好几个牌子的丝素蜜，很普遍的。

种桑养蚕，本来就是中国人的老传统，以丝素美容，也算不上稀奇，就连蚕儿们吃的桑叶，也是"性极平和，不冷不热，不燥不湿"的补血滋阴佳品呢。只是这些年来护肤品市场尽是舶来品，偶有国货走俏，反而成了新闻。

蚕丝蛋白的保养风最早吹自韩国，韩国美眉爱变脸，但是变脸后必须让手术伤口加速复原，因此美容医师大多会建议使用蚕丝蛋白保养品来保养。

蚕丝蛋白分子量仅有胶原蛋白的1/20，可穿透皮肤角质层，延缓皮肤

老化，促进幼细胞再生。

相比之下，胶原蛋白虽对肌肤不可或缺，可惜此类胶原质分子较大，不仅不易为皮肤吸收，就连服用含胶原蛋白的食品，也常会因为其过于黏腻，难以消化，反而增加胃肠负担。像猫，吃阿胶的时候，就不得不格外小心，每遇上天气特别湿热或是消化不佳的时候，就只好暂停下来。相比之下，蚕丝蛋白就显得更为可贵啦。

猫在家里炮制好东东，搞得名声在外，连老公的漂亮女客户也扔下他这帅哥，整天请托来索要猫的"不计成本牌"。

可惜私房菜这东西，太朴素，只适合三五良朋小酌，不适合大宴宾客的。想要取悦太多人，反而会变了味。幸好还有这篇文章，让猫絮絮叨叨、哕哩哕唆的私房话得以和众姐妹分享，让 MM 们体会盛妆华服的丰美之余，也感受素颜布衣的淡雅，不亦乐乎？

给大家二款买不到的养颜至宝

猫在炮制这些东东的时候，偶尔也会发起呆来，想起先生拍马屁许诺说，等我们老了，一定会给猫弄一个庭院，种一棵桑树，再种无花果、桃花……这样的季节，正好桑葚满枝，晒干了，正好可以泡一坛桑葚酒，虽不知何日可归去来兮。

不急，不急，素颜伴君，来日方长……

✄ 肤如凝雪，美如明月——扶桑至宝润肤蜜

猫迷上了自制护肤品，自然不能拉下了至爱的宝贝。因为桑树及芝麻，都是难得的不仅能美肤，同时还能护发的好东西，连家里的护发素及护发喷雾，也被猫换成嫡系部队了。

猫用水包油的方式，先在乳化剂里加入水分先成为凝胶，最后加入油分搅拌均匀。猫只加了5%的油分，做出来的润肤蜜真是很清爽喔，当然怕油的MM也可以不加油做成凝胶的。

清透润肤蜜（100ml）

成分	用量	说明
芝麻油	5ml	芝麻油堪称非常上佳的基础油，含高达40%以上的维生素E，具有高度抗氧化与滋润的作用。夏天的紫外线是使肌肤氧化的元凶，使用维生素E含量高的油脂用以保养，虽不含防晒成分，却直接安抚了久经日晒的皮肤。
桑白皮萃取液	5ml	桑白皮是桑树的干燥根皮，常用于治疗咳喘，其萃取液具有促进表皮细胞产生分化、使肌肤柔嫩白皙之效，广泛应用于美白保养品，是绝佳的天然草本美白成分。要不怎么说桑树一身都是宝呢？
蚕丝蛋白	1g	正所谓"蚕食吐丝，织成锦绣"，蚕丝蛋白算得上是桑叶的精华了吧，上次猫就狂赞过一次，呵呵，用蚕丝蛋白护理皮肤后，皮肤会很光滑，却不是像缎子那样的油滑，而像重磅真丝，带一点哑光感觉的滑，呵呵，很难形容，只能凭感觉了。
乳化剂	1ml	
纯净水	88ml	
抗菌剂	0.2ml	

❋云鬓花颜金步摇——扶桑至宝护发素

这真是一款非常奢侈的护发素来的，不仅有与头发亲和性非常好的蚕丝蛋白，更加有可使"白发返黑、齿落重生"的神奇黑芝麻，搞得猫看家

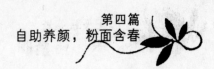

里那些没用完的护发素，简直像皇帝看见失了宠的后妃一样，恨不得它们

扶桑至宝护发素（100ml）

成分	用量
芝麻油	20ml
甜杏仁油	10ml
乳化剂	2ml
甘油	10ml
蚕丝蛋白	2g
维生素原 B_5	5ml
纯净水	50ml
抗菌剂	0.4ml

立刻消失。

　　猫在炮制这些东东的时候，偶尔也会发起呆来，想起先生拍马屁许诺说，等我们老了，一定会给猫弄一个庭院，种一棵桑树，再种无花果、桃花……这样的季节，正好桑葚满枝，晒干了，正好可以泡一坛桑葚酒，虽不知何日可归去来兮。

　　不急，不急，素颜伴君，来日方长……

玩一把发酵，看素颜悄然降临

说起来这世界上最为有效的垃圾清运系统，不是人所建立，而是赖于虫子们的劳动，我们玩一点发酵，就像是把这个垃圾清运系统搞到自己的肚子里去了，何愁美丽之神不会悄然降临？

✄ 连 SK－Ⅱ，的招牌成分都是酵母精粹

美味的发酵食物，这些年来日益得到美容界重视，成为天然且高效的肌肤食品。

最为知名的 SK－Ⅱ，招牌成分就是酵母精粹来的。

含有酵母、清酒、酸奶成分的美容品也大行其道，相比那些死物，含有酵母的护肤品富有活性的元素，能迅速改善皮肤状态。

猫看好酵母的用处，但觉得它们随处可得，犯不着花大价钱去买，随时饲养的各类小虫子（酵母菌）更新鲜。

洗面或洗头，最价廉物美的就是淘米水（淘糯米水更好）了。

但不要直接用于洗脸，最好把淘米水存放一段时间，到微微发酸的时候再用。

因为淘米水发酵后产生的微量曲酸有美白去斑作用，大米中含有的 B

族维生素更能修复、镇静皮肤。将发酵过的淘米水用于洗头，可中和洗发水的微碱性，保养头皮。

糯米酒面膜：糯米酒与发酵淘米水所含成分基本类似，只是浓度较高，算是超市品牌和专柜品牌的差别吧。

以米酒汁做面膜，美白去斑效果更佳。

市面上也有清酒面膜或是米酒汁面膜出售，效果基本相似，想来酵母菌是活的东西，生产及运输中要保持其活性，必得付出不少成本，MM们若心疼票子，那就算了。

糯米酒和酸奶（也可以做成去角质的酸奶面膜），前者滋补、暖身、丰胸，后者补钙、增加肠胃活性，是猫家的保留农家肥，都是自己酿的。

现今它们都出自同一台酸奶机，这台酸奶机是劳模来的，很少休息，有了它，猫可以喝到微温的酸奶，酿得刚刚好的糯米酒，做最鲜活的虫子面膜，成本也就是30多元而已，却可以一年四季，美丽到底。

水果酒和水果醋猫也酿，二者其实差不多，酿酒的时候让空气跑进去了，酒就酸了，变成醋了。

猫胡乱扔水果进坛子，有时出了很好的果酒，有时不小心酿成了醋，那就喝醋。

✕ 猫猫原创的酵母面部深层清洁球

猫再奉献一次吧，这次登场的可是猫绝对原创的酵母深层清洁球呢。

MM们做过发酵面食么？没做过的去补课吧，这里不说了。

取一块鸡蛋大小发酵好的面团（干酵母发的也可以，烘焙高手用酸奶、甜酒什么发的也好），捏成球形，用手推动小球在脸上不停滚动，务必使面团与每个毛孔亲密接触。

看电视的时候也好，听音乐的时候也好，都可以取一块面团滚来滚去地按摩皮肤。

经过揉搓的面团起了筋性，黏着力超好，毛孔里的脏东西全被吸附了出来。一直揉搓，直到面团很脏了再扔掉吧。

然后稍微洗一下脸，做一个冰的矿泉水面膜收缩毛孔，呵呵，脸上干净极了，很有透明感，像剥了壳的鸡蛋。

这个深层清洁的方法非常有效且温和，不会刺激皮肤。面团里也可以加其他东西的，去痘的绿豆粉，或是美白的白芷粉都可以，随意发挥就好了。

说起来这世界上最为有效的垃圾清运系统，不是人所建立，而是赖于虫子们的劳动，我们玩一点发酵，就像是把这个垃圾清运系统搞到自己的肚子里去了，何愁美丽之神不会悄然降临？

闻闻你肌肤里透出的菠萝香香吧

> 我们对身体皮肤的呵护是远远不够的喔，洁净清香的皮肤加上真丝睡衣，唔，这才是夏日居家懒 MM 的好形象……

菠萝酵素同时也是上好的天然皮肤清洁品，用于面部的菠萝酵素，由菠萝根部萃取，具有强力抗炎及消化蛋白质的特性，正好用于去除堵塞毛孔的陈旧角质，给皮肤消炎并调理敏感肌肤，所以，把它们加在夏天的洁面产品中，最合适不过了。

偷懒的 MM 们可以直接购买含菠萝酵素的洗面奶，像猫这样的勤快人，就会去购买起泡剂，添加菠萝酵素，好好做一款自己独有的洗面产品。

先将蒸馏水与精盐充分溶解，加入弱酸性起泡剂成为凝胶状之后，再添加其他原料搅拌均匀，即可置于空瓶使用啦。

猫言猫语

MM 们也可以将蒸馏水改成具有芳香舒缓功效的薄荷花水、玫瑰花水或者是薰衣草花水等，那么使用起来就具有天然植物的清香气息了。

菠萝酵素含少量果酸成分，猫从不在面霜中加果酸的，觉得果酸类最

菠萝蜜洁面乳(120ml)

成分	用量	说明
菠萝酵素	1.25g	功效前面已经说过，不再啰唆。
高级精盐	5g	可以帮忙去角质喔，但一定要选择无碘精盐。
弱酸性起泡剂	30ml	既可以深层洁净脸部油脂及污垢，又不会造成肌肤刺激，是偏油性肌肤的 MM 每日洁肤的最佳选择。
椰子油起泡剂	10ml	提取自椰油基的活性界面，有很好的清洁性，很温和，并且有着超强的去污能力，很适合油性、混合性皮肤的 MM 使用。
抗菌剂	0.5ml	
蒸馏水	55ml	

大的效果是清洁调理皮肤，没必要整日停留在脸上，否则容易招致光敏。不过自恋的 MM 们可以考虑在身体乳液中加菠萝酵素的。

我们对身体皮肤的呵护是远远不够的喔，洁净清香的皮肤加上真丝睡衣，唔，这才是夏日居家懒 MM 的好形象……

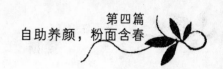

夏日里的绝版清凉——自制薄荷花水凝露

有阳之处才有阴。不要忘记温暖和活动身体，有热情的女人才有资格经常吃冰凉果冻。要做刚出锅的热乎乎的馒头，就别吃太多冰变成的东东。

很贪恋薄荷的清凉感觉，于是猫买来了薄荷花水，希望清凉的感觉在脸上留得更久一点，不要流走，要知道猫现在是 DIY 护肤品的高手啦。

加入一点点冰晶形成剂粉末，流动的水立刻变成晶莹剔透的凝露质地。抹上厚厚一层，当成补水面膜，凉凉的，完全无油配方，日晒后随时涂上，闭目休息 10 分钟，比喷矿泉喷雾好得多。

在炎热的天气里，女性的毛孔一般就会变得粗大，一味地补水或收缩毛孔用处都不大，皮肤若无保水能力，大水漫灌也是枉然。夏日的毛孔粗大，是因为有更多的废物需要排出，若强行使用收缩水，脏东西只好堵在里面长成痘痘了。

扫除完，该关上门了。MM 们这时会发现毛孔总也关不上，那是因为皮肤的胶原蛋白流失掉了，毛孔失去了有力的支撑，没法子，老实地吃果冻（里面有很多胶原蛋白）、抹果冻，与时光抗争吧。

猫今夏制作的凝露里，除了例行的花水、保湿剂玻尿酸，还加入了更有果冻感觉的成分——日本海藻糖。晕啊，吃海藻做的果冻，吃海带和海白菜，脸上也要搞点海洋元素来着。

薄荷花水凝露（100ml）

成分	用量	说明
薄荷花水	85ml	直接用于面部，有净化肌肤、消炎祛痘、收缩毛孔的功效。
冰晶形成剂	1g	加入之后，刚开始好像化不开的样子，我们一定要不停地搅拌才行。
1%玻尿酸水溶液	10ml	可以瞬间补充肌肤水分。
日本海藻糖	1g	海藻糖素来被称为生命之糖，对多种生物活性物质具有神奇的保护作用，添加有海藻糖的护肤品中，其他的营养物质也不易变质。

事实上，海洋元素用于护肤品，早就蔚然成风，从海藻提取物到海洋微量元素，海洋正是万物之母、万水之源，有不可估量的潜能。

猫一边大嚼海白菜，一边大力拜托海藻糖的超强保湿功能。

效果还是不错的，猫顶着艳阳秀自己水分充足的脸，当然……如果睡眠能更充足一点……如果小蔷薇不到夜里5点还起来打拳……就好了……

最后再提醒一下的MM们：有阳之处才有阴。不要忘记温暖和活动身体，有热情的女人才有资格经常吃冰凉果冻。要做刚出锅的热乎乎的馒头，就别吃太多冰变成的尔东。

我的镇家之宝——可以从嘴一直用到屁屁的紫草油

现在的护理用品品种太多，洗脸洗手洗澡洗屁屁，搞得洗手间里堆满了瓶瓶罐罐，麻烦程度直追女人的衣柜。如果有一个百搭款，便可以节省不少银子，而紫草油就是洗手间里的百搭经典款。

当当当当，懒猫出场，这次依然有礼物奉献给大家喔，这次推荐的是

紫草油

成分	用量	说明
紫草	30g	很多药店就有卖，而且价格非常便宜。
芝麻香油	一小瓶	当然越纯越好啦。

猫的镇家之宝：紫草油，效用无穷呢。

现在大家对紫草一定不会陌生啦，像紫草膏或是添加紫草的护肤品，紫草乳液、紫草皂都卖得很火的。因为紫草既属纯天然，护肤效果也十分好。

紫草，能凉血、活血、解毒，可治各类疮疡、湿疹、水火烫伤，还能消炎、收敛、抗过敏，并能去痘印，效果一大堆了，简直可以称为"美丽神草"啦。

按猫的粗俗说法，这东西是从嘴可以一直用到屁屁的。

先说做法吧，把紫草用干净纱布包好放进干净容器里，然后倒进香油，

没过紫草包，再放进锅里隔水炖，直到香油变成艳丽的紫红色就好了。

作用，容猫慢慢说来——直接用作润唇油，用小棉签沾少许涂在唇上，是很漂亮自然的唇色喔。这样用当然不方便，可以把紫草油加入一个小滚珠瓶，这样用起来就方便了。加入凡士林或蜂蜡作成唇彩，这样颜色就是淡淡的粉红色。紫草加天然芝麻油，美唇同时护唇，绝不会像用了人工色素和矿物油脂的唇膏一样，嘴唇越用越干燥。

紫草油也可以用做护肤基础油，用于按摩或刮痧；加入皂基做成紫草皂，不仅颜色很漂亮，还有护肤防痘痘的作用；直接制作护肤品，比如用作乳液或乳霜的基础油，对敏感易生湿疹的皮肤很有用。

说完脸，再说下屁屁。紫草油绝对是治宝宝红屁屁的不二验方，妈妈们何必再去买十分昂贵的护臀膏呢？那是一大堆化工原料做的，都来用纯天然的紫草油护理宝宝的小屁屁吧。

还有比较不好意思说的，紫草油可以预防或辅助治疗妇科炎症。呵呵，男人免进，类似妇科护理油一样，用过无需洗掉的。

猫言猫语

如果只是用作护理宝宝屁屁或是唇油，芝麻油可以用超市卖的芝麻香油（因为是热榨的，所以香）；而用作按摩基础油或是用于制作护肤品，就要用冷榨的芝麻油了。

现在的护理用品品种太多，洗脸洗手洗澡洗屁屁，搞得洗手间里堆满了瓶瓶罐罐。经常买了用不完甚至忘记用，麻烦程度直追女人的衣柜。衣柜里要多一些百搭经典款，随便搭配些什么小饰物，便可塑造出不同的风格，可以节省不少银子。紫草油就是洗手间里的百搭经典款啦，它艳丽的天然色彩一定也会使护肤增加很多乐趣喔。在美丽的心情中搽美丽的紫草油，这种美妙的体验怕是连昂贵的 Dior 也难以做到的吧？

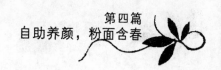

像杨贵妃一样顾盼嫣然——自制杏仁紧致眼霜

人说杨贵妃"天生丽质难自弃"，用了我的杏仁紧致眼霜，定然能造就出许多杨贵妃一般的"杏仁豆腐西施"来。

杏仁用于护肤品，古已有之，有羞花之容貌的杨贵妃，美容秘方就是一味以杏仁为主的"太真红玉膏"。

杏仁紧致眼霜（100ml）

成分	用量
杏仁油	10ml
聚合杏仁蛋白	5ml
乳化剂	1ml
1% 玻尿酸水溶液	10ml
纯净水	75ml

那我们也来试一个吧。

除去杏仁油的超级抗氧化功能之外，杏仁蛋白维护皮肤弹性的效果也

是——流的。

杏仁蛋白因其拉伸效果特别好，能够形成连续有弹性的薄膜，因此加入杏仁蛋白的护肤品，使用之后会有紧肤的效果。

用于眼霜，也是很不错的选择。

猫的配方总是很单纯的，因为杏仁已经是很了不起的东西了。

人说杨贵妃"天生丽质难自弃"，用了我的杏仁紧致眼霜，定然能造就出许多杨贵妃一般的"杏仁豆腐西施"宋。

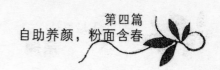

"令人悦泽好颜色"的御前冬瓜洗面膏

用冬瓜瓤"洗面澡身"，可"去黑斑，令人悦泽白皙"，而冬瓜仁则能"令人悦泽好颜色"。既有如此奇效，谁说冬瓜只值一毛五分钱呢？

这些天新闻里不停呼吁，说今年冬瓜大丰收，以至于瓜贱伤农，希望大家多吃点冬瓜以献爱心。

果然，猫逛超市的时候，发现冬瓜竟然跌到一毛五分钱一斤，物价飞涨的年代，竟然还有这么廉价的蔬菜，二话不说，买上巨大的半个，哼哧哼哧拎回家来。

接连吃了 N 天冬瓜，一家人不免心生怨言：什么便宜你就天天吃啊，嘴里要淡出鸟来的。猫只得动足脑筋，推销吃不完的冬瓜。

这样的大丰收，对农民来说不算好事，对享用了廉价冬瓜的人，却是不小的福分。冬瓜大丰收，说明今年的温度水分正适合冬瓜生长，这些得了天时地利的巨大瓜果，十分珍贵，不止一毛五分钱的。

为了不负老天让冬瓜丰收的美意，猫继续给大家推荐冬瓜 N 种用法之一：御前冬瓜洗面膏。（呼呼，听上去名贵多了是不是？）

正像猫过去推荐的冬瓜茶一样，瓜肉只需用搅拌机打成糊状即可，冬瓜瓤及籽打碎后，需用清洁的滤网或纱布过滤，以免较大颗粒磨伤皮肤。

过滤后的冬瓜瓤加入瓜肉，加入黄酒，放入砂锅里煮（其他种类的锅也行，但不要用铁锅），一直煮至冬瓜变成极稠的糊状，然后关火，待略凉

御前冬瓜洗面膏

成分	用量	说明
冬瓜	一大块	冬瓜的精华是在冬瓜籽上，因此要将冬瓜瓤及籽挖出，与冬瓜肉分别处理。
黄酒	一纸杯	超市就有卖的，哪个牌子都可以。
白蜜	半纸杯	颜色浅淡不易凝结的蜜均可。

时加入白蜜即可。

这锅糊糊是要放入冰箱保存的，洗面时取出少许，用法同洗面奶。原方中建议以唾液调开按摩面部，固然效果更佳，感觉无法忍受的 MM 用水调开也就是了。

猫言猫语

本方来自《御药院方》，原方中使用的是白酒，虽可防腐，但对皮肤刺激太大，猫将它改成了温和且有补益作用的黄酒，对皮肤有益，去口容易腐坏，建议半个月内用完。

MM 们清晨起来，用这款洗面膏完全可代替洗面奶的。因冬瓜肉可去垢腻，冬瓜瓤及籽更能增白、去除脸部水肿。

连《本草纲目》中，也建议用冬瓜瓤"洗面澡身"，可"去黑斑，令人悦泽白皙"；冬瓜仁则能"令人悦泽奸颜色"。既有如此奇效，谁说冬瓜只值一毛五分钱呢？

第五篇　素颜芳香调养法

一个小小的香袋，不仅有自然的芬芳，更能祛除口鼻边的污秽空气，能预防感冒和上呼吸道疾病。其实，古人之所以爱香，因大部分芳香植物能化湿浊之气，这在温热的南方初夏最为对症，不然为什么楚人偏爱之？

芳香植物是上天对女人特别的恩赐，专用来涤垢去浊用的。很多芳香植物也被用于药物，它们的共性就是能行经络，走气入血，无孔不入。

其实我们无时不得芳香之助，只是自己不知道罢了。夏日是虫子最猖獗的时候，容易消化不良或腹泻，这时都要用到藿香正气水，藿香就是相当有名的一味驱湿去秽的中药来的。此时若找不着藿香，用生姜煎一碗浓汤喝下去，肠胃不适也会立刻好起来。

天天素颜伴君香

一个小小的香袋，不仅有自然的芬芳，更能祛除口鼻边的污秽空气，能预防感冒和上呼吸道疾病。其实，古人之所以爱香，因大部分芳香植物能化湿浊之气，这在温热的南方初夏最为对症，不然为什么楚人偏爱之？

比香妃还香——给自己和女儿准备的吞香艾叶浴

端午前后南方总是多雷雨，蚊子、苍蝇总也赶不完。

今年端午节难得大晴天，猫猫大喜（洗）啦。脸盆毛巾牙刷、扫把席子地毯一股脑儿丢到阳台上暴晒，夏天又湿又热，一定要晒透消毒，才不会引发皮肤病呢。

按民间的说法，五月是毒月，五日是毒日，五日的中午又是毒时，居三毒之端。端午节又叫"五月端"，是整个热天的开端（什么啊，全球早就变暖啦），毒蛇毒虫开始活跃起来了，所以今天要消毒啊。

在过去，端午又被叫做沐兰节呢，所以，煎兰草汤沐浴以祛病，一定少不了啦。这里的兰草汤就是艾叶汤，艾叶有理气血、逐寒湿、温经活血的作用，泡个艾叶浴，经冬受的寒湿就算是个完结篇吧。

虽说端午前后，天气早就热起来了，可民间就是有"吃了端午粽，才有寒衣送"的说法，也就是说，在端午之前，天气都会是乍暖还寒的，老人们也都禁止小朋友们在端午前下河玩耍呢。

据说小宝宝洗过艾叶浴，整个夏天就不会长痱子了，所以从早上开始，家里的大锅就咕嘟嘟地煮上了一锅香汤，猫和小蔷薇母女同浴，感受天然的草木香，浴后感觉皮肤干净清爽了好多呢。

除了用于沐浴，艾叶还可以做成艾叶粑粑，用糯米粉加入艾草汁，然后包上芝麻和花生馅，舌头都馋掉啦。

艾叶，还有菖蒲、白芷，都可以用来熏香，不仅使空气芳香，还可以辟秽、消毒、杀虫害。

猫用来做美白面膜的白芷派上用场了，燃一片在屋子里，真的是满屋留香呢。

喝雄黄酒的习惯，猫可不敢尝试了。雄黄是一种矿物，含有砷（砒霜）的成分，古人称它能"解百毒、辟百邪、杀百虫"，当年白娘子就是喝了雄黄酒才露出原形的，万一猫也露出猫尾巴来怎么得了？

把雄黄酒洒在墙根来杀害虫，倒是不错。

✄ 想象自己就是旧时的大家闺秀

再做一个香袋给自己吧，想象自己就是旧时的大家闺秀，一针一线在小小的荷包上绣上细密的花草，装进荷包的，却是清香的药材。配方是猫从网上查来的，叫做早春散：

带点苦味的香，猫最喜欢。

猫最偏爱的 SISLEY 香水中，有一款叫做 Eau Du Soir 的，很多闻过的人都不喜欢，说像中药，确实是，它的主要用香就是一种中药叫广藿香的。看来猫喜欢药香，是天生的。

一个小小的香袋，不仅有自然的芬芳，更能祛除口鼻边的污秽空气，

成分	用量	说明
菖蒲	10g	辟秽开窍，宣气逐痰。
桂皮	5g	祛寒、活血舒筋、通脉止痛。
高良姜	5g	温胃散寒，消食止痛。
雄黄	5g	解毒杀虫，燥湿祛痰，截疟。
冰片	0.5g	开窍醒神，清热止痛。
樟脑	1g	通窍辟秽，温中止痛，利湿杀虫。

能预防感冒和上呼吸道疾病。

其实，古人之所以爱香，因大部分芳香植物能化湿浊之气，这在温热的南方初夏，最为对症，不然为什么楚人偏爱之？

再唠叨一则端午节的轶事给大家听吧。据考证，端午节的习俗隐藏着一起古老的谋杀案：

话说当年屈原行至汨罗江上，楚国的贵族仍不肯放过他，雇用了一批虎狼打手驾船追杀，要致屈原于死地。屈原的小船使劲划也没能摆脱追逐，被追上之后，打手将屈原用布袋包裹，用绳子捆得紧紧的，扔进了汨罗江。

这件享被当地老百姓看到，悲愤、恐惧却不敢透露实情，于是发明了划龙舟来隐喻屈原被追杀；发明了粽子隐喻屈原被谋杀的情景；粽里包肉，意味有人；捆扎很紧，怕其挣脱；投粽子入水，也就是说屈原最终是被扔进水里的，而不是自己投水自尽的……

虽是道听途说，听起来似乎也很有道理呢，555，有点后脑勺发冷……

香味是上天对女人特别的恩赐

> 芳香植物是上天对女人特别的恩赐，专用来涤垢去浊用的。很多芳香植物也被用于药物，它们的共性就是能行经络，走气入血，无孔不入。

那个写《离骚》的屈原，在现今的女人们看来是有一点娘娘腔的。忧国忧民也就算了，怎么一会儿身上佩戴个兰啊芝啊什么的，搞得香喷喷的干什么？

现在的人哪里知道，古代是没有杀虫剂的，在湿热的楚地，若不用些香料，外受蚊虫叮咬也就算了，但体内污秽之气却也无从祛除。屈原搞得一身香，不过要表达自己"里外皆不愿与污浊为伍"的风骨罢了。

芳香植物是能通人体经络的，而人的经络为什么会堵上呢？皆是七情六欲或外感六淫所致。

那又是谁借机作乱？是细菌、病毒等虫子们。

不管你喜也罢悲也罢寒热也好，反正身体哪里薄弱一点，虫子就扩张殖民地，先占了你的位置再说。

很多病西医都喜欢用抗生素一网打尽，本意是不错的，错在虫子们十分顽固、剿而不灭罢了。

虫子们喜欢什么地方呢？

人是防备严密的动物，脸部却有七窍，不得不时常洞开，虫子们自然

寻关窍而入啦。

驱除了这些讨厌的虫子，恢复经络通畅，本意当然是把脸蛋修饰得漂亮点，但同时也能保护内脏安全，一举两得。

在西方，以植物萃取的精油按摩身体各处，借以恢复身体能量、改善体质，是十分风行的，植物精油也被广泛使用于各类护肤品。

可惜，中国本土也有大量的芳香植物，却没能得到这样的重视。我们现在也经常使用进口的玫瑰精油按摩，以洋甘菊或迷迭香泡茶喝，却不晓得以藿香来化湿，以白芷来祛风，以冰片来开窍，以檀香来行气；以丁香来温中……

要知道那都是古时绝色佳丽所用，她们一笑倾人国的时候，西欧美女们怕还在茹毛饮血吧。

随时与芳香心心相印

> 其实我们无时不得芳香之助，只是自己不知道罢了。夏日是虫子最猖獗的时候，容易消化不良或腹泻，这时都要用到藿香正气水，藿香就是相当有名的一味驱湿去秽的中药来的。此时若找不着藿香，用生姜煎一碗浓汤喝下去，肠胃不适也会立刻好起来。

猫对于芳香植物的见识，也就是浅薄的一星半点，要全面地讲述，只怕一本书也写不完。那猫就写一点自己与芳香为伍的片断，权作抛砖引玉吧。

20岁的时候，猫觉得芳香是奢侈的东西，比如香水，如此昂贵，重要场合才舍得用一点。之后慢慢懂得体会身边随手可得的香味，不光是为了臭美，也是为了驱虫的。

最开始是为自己缝制薰衣草香袋，把买来的干薰衣草装进小布袋里，加几滴薰衣草精油，挂在容易生虫的衣柜、书柜里，于是，衣服、书本上都有了淡淡芳香。

薰衣草有很好的驱虫作用的，就是作用持续不久，很快香味儿就淡了。

很快猫又找到新的香料，就是中药细辛，请药店帮忙捣成粗末，装进可爱的布袋子里挂进衣柜。这些年已经没有时间自己缝衣服，但是缝几个心形的、小熊形状的、小花形状的小香包，倒是蛮好玩的。

细辛含有挥发油，细菌、霉菌一扫光，衣服上透出淡淡的芳香，也不

是樟脑那种怪怪的味道。

其实我们无时不得芳香之助，只是自己不知道罢了。夏日是虫子最猖獗的时候，我们容易消化不良或腹泻，这时都要用到藿香正气水，藿香就是相当有名的一味驱湿去秽的中药来的。此时若找不着藿香，用生姜煎一碗浓汤喝下去，肠胃不适也会立刻好起来。

肠胃娇弱的婴儿，不能喝姜汤的，用姜粉包好贴在肚脐上，也能治腹泻的。人的肠胃本是污物、混虫最多之处，人爱在食物尤其是肉类中加入香料，便是为了对付这些虫子吧。

我们在日常饮食里爱用的香料，大多都是驱虫能手来的。比如大蒜，简直是万用的神物，在流感横行的季节，用大蒜捣碎了泡水，再用大蒜水漱口，就能驱除口腔和呼吸道的虫子，感冒自然害我不着；艳丽芬芳却爱生虫的月季花，只要在盆里同时种上几棵大蒜，花美人也一并呵护到了。

但蔷薇死也不肯闻那大蒜，大概觉得那不是美女的香味，没关系，给她放洗澡水的时候，猫会同时滴一滴尤加利精油，略微有一点刺激的香味，随着蒸气进入呼吸道，流感季节这家伙就不会是小鼻涕龙了。

还有花椒，驱虫先锋来的。把花椒洒在蟑螂出没的角落，最顽固的虫子也会退避三舍。在潮湿多雨的季节，猫的花儿生了虫子，猫用花椒煮成浓汁喷洒，虫子们也跑得精光。

看，是跑光光而不是死光光，中国哲学里有厚道的天性，你不犯我就行了，我哪能不留你一条生路呢。在这种充满善意的平衡中，不知不觉，素颜开始绽放出暗香。

夏日留香为哪般——自制猫记限量版花露水

> 买来浓度为75%的医用酒精，浸泡大量的叶子，直至酒精变成深绿色的极香的液体。这就是猫家的限量供应版绿色花露水，清香、提神、驱蚊，好处真是一时半会儿说不够。

芳香植物有很多，猫选择了最常见的几种种在家里，薄荷、罗勒和紫苏。这些都是极强健的香草植物，有阳光就能长成一大丛。

各种香味都盛于夏季，所以，连带夏日饮食也会有不一样的香味，问家人，你想要吃紫苏烤鱼么，或是薄荷拌的小牛肉？或是罗勒配海鲜？

夏天的肠胃被芳香调理得很舒服，打个嗝也是香的。

在露台上不慎被臭蚊子袭击，只要随手摘一片罗勒叶子揉碎了擦擦，红肿很快就消了。

在薄荷、罗勒生长最好的时节，猫带着小篮子上了露台（罗勒花开的时候，蜜蜂、蝴蝶成群而至，十分壮观），水灵灵的薄荷和罗勒叶子剪下晒干之后，可以做成香包，随身携带以驱蚊虫。

更多的薄荷和罗勒叶子，猫要用来做花露水。买来浓度为75%的医用酒精，浸泡大量的叶子，直至酒精变成深绿色的极香的液体。这就是猫家的限量供应版绿色花露水，清香、提神、驱蚊，好处真是一时半会儿说不完。

女人对于芳香，有着贪婪的需求，每次去买新香水，最在意的是，这

款留香时间久么？

最中意的是使用后甚至一个星期依然余香袅袅的香水，可惜这样的香水十分难寻。这些年从不曾厌倦的是 SISLEY 的"夜幽情怀"，以广藿香为主调制的，须知那广藿香，可是主要产于猫所在的广西的一味中药。

猫用香水，留香时间总是十分短，猫的先生却相反，哪怕和美女擦肩而过，那香味也要留在身上好久，搞得他"偷香都没机会"，因为一定会留下罪证的。

后来才知道，芳香植物中的成分，更易溶于油分中，因此油性皮肤的男士用香氛，留香就会更持久。更多的香味会以植物精油而不是香水的面目出现，也正是为此，所以，猫最近迷恋上了各色各味的精油，玫瑰精油、薰衣草精油、月见草精油……

呜呼，生活多么美妙！

芳香透骨，茴香美胸

芳香透骨的茴香成分可以渗入皮肤，驱风活血，改善经络堵塞状态，胸部得到了更多气血滋养，当然就少了乳腺增生之害。

习惯了以植物基础油护理皮肤的猫，开始不满足于没有香味的护肤过程，走上了炮制香油的漫漫长路。

把小茴香倒入基础油，没过表面，然后以密封容器装好，一个月后就可以使用。密封时间越久，效果越好。

茴香美胸油

成分	用量	说明
甜杏仁油	200ml	基础油用的是猫比较偏爱的甜杏仁油，因为它没有味道，价格适中，性质温和。若改用芝麻油，味道就会变得怪怪的。
小茴香	适量	就是做菜用的小茴香，以没过基础油为宜。

这是用来做胸部按摩的专用按摩油，即做即用的方式保留了更多茴香的挥发性成分，新鲜生猛。

芳香透骨的茴香成分可以渗入皮肤，驱风活血，改善经络堵塞状态，胸部得到了更多气血的滋养，当然就少了乳腺增生之害。

更重要的是，茴香中含有天然植物性激素，坚持按摩加热敷，是保持胸部坚挺丰满的超好方法来的。

让素颜美人内有香风的桃花白芷油

将桃花、白芷以干净纱布包裹，加入基础油，浸泡一个月后就可使用。用于面部刮痧及按摩，正如喝过酒后的感觉，连"打出嗝来也是香的"，按摩后，则毛孔通透，如内有香风。

十分喜欢桃花加白芷的配方，色泽艳丽而气味芳香（有些 MM 泡制的桃花白芷酒不是桃红色而是淡绿色的，大概是因为连花萼也泡进去的缘故。猫的花是偷来的，专选那花大色艳的，并特意去掉了花萼，所以就是桃红

桃花白芷面部刮痧油

成分	用量
桃花	20g
白芷	30g
甜杏仁油	200ml

色的了）。

经前服用的桃花白芷酒，桃花善驱旧布新，引污水入大肠，而白芷驱风通窍，逐浊气直出毛孔，顿时上下全通。就算女人有再潮湿的心，虫子们哪有藏身之处？因此在制作面部刮痧油的时候，也舍不下它们。

将桃花、白芷以干净纱布包裹，加入基础油，浸泡一个月后就可使用。

用于面部刮痧及按摩，正如喝过酒后的感觉，连"打出嗝来也是香的"，按摩后，则毛孔通透，如内有香风。

喔，离素颜又近了一步。

其他香氛，亦可如法炮制，家里种的茉莉花、桂花，药物如丁香、檀香，何物不可入香？

香香的油，除用于按摩刮痧之外，尚有无数妙用，可以做为乳液的基础油，也可以做成卸妆油。能干又有耐性的 MM 可以香油作为基础油，试一下手工冷制皂。

手工冷制皂与市面上所售的去除了甘油成分的香皂有天壤之别，泡沫细腻丰富，洗后清爽而滋润。想一想商场的手工冷制皂卖得何等天价，而自己在香香的氛围里做一块，心也会变得愉悦而芳香，记住：美由心生喔！

经常想起那些古代修行的高人，有些人终生服食各种香料，不仅生时鹤发童颜，死后肉身竟也历千年不腐，散发异香，那驱虫之术，真是修炼到家了。

在长沙马王堆汉墓千年美女辛追的陪葬品中，也发现了大量的香料，如辛夷、桂皮、花椒等，据说辛美人当年也曾长期服食香料的……

女人祛湿的常见香料在厨房就可找到

过去一直对香辛料有偏见的猫，在与湿气的战斗中接受了香香的它们。辛最为损耗阴液，在干燥的北方，不应多用，可是在南方，特别是又湿又冷的季节，祛湿排浊却要全靠它们了。

中国传统文化，多少有点偏心，不管什么国学，大多起源于中原，适应中原四季分明的大陆性气候。

湖北、湖南所在的楚地之人，就算南蛮子了。

再到得广东、广西，简直只是个罪犯流放的场所，瘴气横行，中原人到此一病不起的不知凡几。

什么瘴气，就是湿气，热也是湿热，冷也是湿冷，秋天也不养肺了，春天也不养肝了，没空，南方人整天忙着煲祛湿的汤水。

所以你看南方人，少有像北方人那样大个儿的，南方姑娘也瘦，没法子，这样多的水分，肠胃受不了，肠胃不好，就长不胖，脸上还会起痘痘。

清晨起来湿度升到80，全家人愁眉苦脸。

小蔷薇是不用说了，吃不了几口饭就闹罢工了，外公也叫嚷，今天胃口不怎么好……

呜呜，妈妈不管肠胃好不好，都得去做饭。

最简单的了，卤菜，菜是无所谓，卤水最要紧，里面加入 N 多香料：八角、桂皮、茴香、草果、豆蔻……

常见香料一览表

名称	性味、功效	主要产地
八角	辛、温，理气止痛，温中散寒。	主要产于广西、云南、福建南部、广东西部。
小茴香	辛、温，理气和胃、祛寒止痛。	原产地中海一带，我国北方普遍栽培。
干姜	辛、温，发汗解表、温中止呕。	主要产于四川、贵州等地。
豆蔻	辛、温，化温和胃。	主要产于印尼、马来西亚。
肉桂	辛、甘、大热，温肾助阳，温通经脉。	主要产于广西、广东、云南、福建。
肉蔻	辛、温，气浓香，涩肠止泻、温中行气。	主要产于东南亚。
花椒	辛、温，温中散寒，止泻温脾。	以四川产的为最佳。
胡椒	辛、温、热，温中散寒，增进食欲，助消化。	我国海南岛产白胡椒，广东、广西部分地方产黑胡椒，大量的黑胡椒从越南进口。
草果	辛、温，用于胸脘胀闷。	主要产于广东。

来自古书中的容颜不老方

芳香理气、温暖脾胃，身体就能吸收食物中的精华，气血充盈，人自然素颜不老了。

女人有一颗潮湿的心，因此后花园生虫子也不少见。趁虫儿们只是在枝叶上，以花椒煮成浓汁，加少许醋，且熏且洗，是极有效的验方来的。

猫简直要崇拜起四川美女来，生在如此潮湿难当的地盘，却懂得用简易却美味的方法趋利避害，使自己水嫩火辣兼而有之，比起江南的水美人，更有一番味道。

除了那些简单的驱虫健胃的小法子，《奇效验方》中也记载了香味驱虫

容颜不老方

材料	生姜一斤，大枣半斤，白盐二两，甘草三两，丁香、沉香各半两，茴香四两。
做法及用法	共捣为粗末，每次三五钱，清晨煎服或用沸水冲服。

美颜的升级版：

此方中，大枣补脾胃、益气血，生姜健脾胃、散风寒，久服去臭、通神明。使用芳香药物丁香、沉香和茴香，是因为芳香理气、温暖脾胃，脾胃强健，身体就能吸收食物中的精华，达到气血充盈的效果，人自然素颜不老了。

第六篇　天若有情天亦老，人间正道是素颜

现今男女相处的形式，很多是先寻一张金卡，再刷卡买化妆品抹在脸上，以稳住这张金卡。因为因果关系的颠倒，男女关系反而变得十分脆弱，照此下去，容颜就会阴晴不定，受不可逆转的损害是肯定的，所以，拥有一份甜蜜而稳定的感情，不失为养育素颜的根本之法。

像猫一般的女人，像结完果的树，叶子发黄，枝丫乱长，最适当的施肥计划，不是往脸上抹什么，而是适时补充雌激素。开花的树当然也喷叶面肥的，不过最要紧的还是要在泥巴里埋够鸡便便。

其实针线这个东西呢，大做伤神，小小地玩一票，却是怡情静心的好法子。老外的研究表明，偶尔做做针线活，竟能达到如练习瑜伽一样的静心效果呢。难怪女红竟被称为"手指瑜伽术"，原来可以借手指的感觉忘记心的烦恼。

天赐素颜，爱情鬼斧神工

> 大部分女人，总以为自己精心笑容养颜是因，因美丽容颜而受男人爱宠是果。其实，这个因果是颠倒的，女人受男人爱宠是因，因受宠而容颜不老，才是真的。任何保养品或彩妆，都没有心爱之人那么全面的效果。

既见君子，云胡不喜

无阴则不生，无阳则不长，失了阴阳调和，便不能明了女人美丽的真正根源。

似乎也有很多名女人说：我的青春不老秘笈是不断地恋爱云云。

大部分女人，总以为自己精心美容养颜是因，因美丽容颜而受男人爱宠是果。其实，这个因果是颠倒的，女人受男人爱宠是因，因受宠而容颜不老，才是真的。

任何保养品或彩妆，都没有心爱之人那么全面的效果。若此处出现一位男士，儒雅英俊，甚合吾心，啊呀，色鬼猫瞳孔放大："既见君子，云胡不喜？"奇迹发生了——

就在他看我的第一眼，我的五脏六腑忽然开始很卖力地工作起来，肾

上腺素加紧分泌，使我的心情因极度紧张而愉悦，我的瞳孔忽然放大，这使我的眼睛变得十分迷人；我的胃觉得轻飘飘的，因为血液从内脏移到我的皮肤、嘴唇，现在我的双唇红艳艳的，脸上泛起桃花般的红晕。

自古以来的各种化妆品都试图再现这样的过程，试图让女人常葆这样的鲜艳：含有荷尔蒙成分、据说有催情作用的香水和滴入双眼可以让瞳孔瞬间放大且水盈盈的滴眼液，甚至在古罗马时期就被贵妇们用于调情。更不消说花样繁多的彩妆产品：腮红、唇膏或是唇彩。

可惜的是，任何化妆品都没有爱情那样全面的效果，前提是：你喜欢一个人，一见则喜。如果只是喜欢他的钱、喜欢他给你的安全感或是喜欢他给你婚姻的形式，这男子，就只是饭票或金卡，而不是化妆品。

现今男女相处的形式，很多是先寻一张金卡，再刷卡买化妆品抹在脸上，以稳住这张金卡。因为因果关系的颠倒，男女关系反而变得十分脆弱，照此下去，容颜就会阴晴不定，受不可逆转的损害是肯定的，所以，拥有一份甜蜜而稳定的感情，不失为养育素颜的根本之法。

✙情入香腮红一抹——对男人的必杀技

记得在某时尚杂志上看过一款腮红的广告，很有现代感，曰：你双颊上的迷人红晕，是对男人的必杀技……（大致如此。）

这就是典型的因果颠倒，你双颊上的红晕，应自男人而起，它难以捉摸，忽焉来去，而不是搽在那儿，一直全无生气地红着，也不管对面坐着的是个小朋友、难缠的老板或是你最讨厌的欧巴桑。

猫觉得，把脸上那一抹红云叫做腮红，十分老土，应该学老祖宗叫它胭脂，十分香艳。有些男人（有些！而非全部！），就是女人的胭脂。

男人们是很乐于恭维陌生的女人的，愿意为她拎个行李，干些体力活，再花言巧语博美人一笑。这中间，自然有些是已婚男士，有些正和女朋友热恋，也有些听上去很美的话，感觉上纯粹来自下半身。

　　女人之过失，就在于非要去探寻，此人真心乎？假意乎？心灵乎？肉体乎？一见钟情乎？逢场作戏乎？最终判断为真，就免不了太过留心；若偏偏是假情假意，又体验了一把人生虚幻的道理。如此沉重的心情，就像把那既轻且薄的胭脂，做成了厚实的一盒子腮红。

　　其实，只需信手拈来，刚好装饰了一张粉脸。因为即使他那些话是假的，讨你高兴的心情却是真的。

　　猫之所以将喜欢你的人比作胭脂，就因胭脂很轻，不能着实相，正如男女之笑谑，不能探寻太多。

　　所以，要想拥有素颜，你一定要有一双慧眼。

怀孕时光，像棉花糖一样香甜

> 其实每个女人，都天生地智慧灵巧，富有创造性，只是受一味求胜的内心支配，过于紧张，反而得不到方向。
>
> 很多人练瑜伽，因为瑜伽能让女人的身体富有弹性，没有赘肉，这是真的，猫就没有多出来的肉肉。但瑜伽的智慧不仅在此，它还能让你的心灵和生活弹性十足，正如你柔软的身体。

猫在怀孕之前，是一个普通的律师，工作、家庭勉强能维持平衡，但已觉得很疲倦。肚子里添了宝宝，更添了一份忧虑，不敢想象在生育之后如何求得家庭依然乐趣无穷、工作起码不要退步。

猫觉得，如果要极度疲倦地去做一件事，无论这件事收益如何，起码过程很无聊。

猫怀孕的 8 个月里，一直在想这件事，想破了头皮，也没有结论。

怀孕 8 个月后，猫放假在家待产，生活忽然变成一团松软的棉花糖，再也没有了压力，谁忍心给大肚婆压力呢？

（小时候，猫也是有理想的，理想是世界变成一团大大的棉花糖，猫缩在里面，困了用它当被窝，饿了就缩进被窝里吃一口；后来理想又有了别的版本，是世界变成大白菜，猫变成菜青虫。

求求你，别笑！依然是，困了，盖菜叶子，饿了，吃菜叶子。）

没有了压力，生活并没就此无聊下去，新鲜的主意反而层出不穷。猫开始在网上写字，你根本想象不出来挺着那么大的肚子是怎么混在电脑前的。过去没怀孕，每天忙于生计，竟然不知道自己有这么多奇怪的想法，后来，这些乱七八糟的文字变成了《31岁小美女的养颜经》。

生育宝宝这几年，本害怕光阴虚度，结果，却变成了猫咪解读自己的一段重要时光。

其实每个女人，都天生地智慧灵巧，富有创造性，只是受一味求胜的内心支配，过于紧张，反而得不到方向。

调节我们内脏功能的植物性神经系统，分交感和副交感神经系统两部分。

通俗地讲，它们正类似我们的一吸一呼，一张一弛。

交感神经一般具有让人兴奋、紧张及冲动的作用，交感神经系统在环境急骤变化的条件下，可以动员机体器官的潜在力量，以适应环境的急变，这种反应称为应急反应。

而副交感神经则让我们的内脏休整恢复、积蓄能量、加强排泄。（以利再战！）

我们就是太想运用我们所有的潜力了，所以希望交感神经永远不要休息才好，可是，让交感神经发挥作用的神经传递物质又被称为"去甲肾上腺素"，如果分泌过多，我们就会患高血压及高胆固醇血症；交感神经过于亢奋时，副交感神经受到抑制，我们又会终日处在消耗却无补给的状态中。

马无草，士卒无粮，如何能战？

因此，现代MM求胜的努力应该表现为：安静地坐下来，长长地呼一口气，然后去做无聊却有趣的事情，比如在浴缸里潜水，在阳台上大声朗读诗歌，去玩泥巴，如此等等，它们都不失为是养育素颜的绝佳方式。

现在的女性，工作、求学甚至健身、美容、喝酒、聊天、网游，都带了太强烈的目的性，它们变成了都市女性必须完成的任务。

其实所有的任务都会完成，圆满程度甚至超乎你的想象。

如果你呼气慢一点，多给自己留一点余地，你会发现本以为是无心走上的一条路，结果这条路上风景独好，于是一直走下去，直到碰上下一条

岔路。

　　就像很多MM去练瑜伽，因为瑜伽能让女人的身体富有弹性，没有赘肉，这是真的，猫就没有多出来的肉肉。但瑜伽的智慧不仅在此，它还能让你的心灵和生活弹性十足，正如你柔软的身体。

　　从心里散发出来的恬静柔和之美，便会映照在你的脸上，成就冰肌玉骨的素颜。

　　最后送大家一偈（偷来的）：

> 手把青秧插满田，
> 低头便见水中天，
> 六根清净方为道，
> 退步原来是向前。

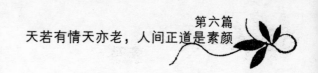

孕期是养育素颜的最好时机

老天安排女人发一次十分持久的高烧——生个孩子并哺乳，虽然十分疲惫，但可以成就一个全新的自己。无怪有人说：月子病月子治。岂止是月子病，生育可谓是女性的一次新生来的。

生育就是女人的一次涅架

女人的一生仿佛常在炼狱，所谓肤如凝脂，是靠低温期得来，那时你可把身体修炼成一根蜡烛；但如果炼狱不够长，人生的脏污则无从清除，那么温度便不足以把蜡烛点燃。蜡烛的火苗，正是女人脸上燃烧的桃花。

尽管每个月烧一次，到了人生之中段，我们的身体依然有了污浊的沉淀，怪只怪这竞争过于激烈的社会。

当人长期处于紧张状态的时候，呼吸会变得急促，体温也会降得极低。你可想象冬天的夜里，越是缩成一团，越冷得受不了；如果把身体舒展开来，深呼吸 10 分钟，身体反而会渐渐暖和起来。

并且，我们选择了太多精制的食物——提纯的如雪花一样白的糖和盐，纯净的水……精致的东西口感虽然很好，但它们包含的矿物质却已经流失了，这样的食物是会让人越吃越冷的，冷到脂肪和污秽的东西都凝结在我

们的皮下和血管里。

因此老天安排女人发一次十分持久的高烧——生个孩子并哺乳，虽然十分疲惫，但可以成就一个全新的自己。无怪有人说：月子病月子治。岂止是月子病，生育可谓是女性的一次新生来的。

✂ 怀孕是清除体内垃圾的良机

如果考虑到生育期女性需要付出的羊水、多多制造的血液和乳汁，生育的储备活动就应该早一点开始。

月经后期的雌性动物已经表现出这样的特征：她们的眼神茫然不够专注，有一点懒洋洋，身体里有一点积水，脑子似乎也像进了水一样，不是特别好使。生育的动物本来就不是哲学家，不需要思考太多，要懒一些，更多地睡眠，更少地表现，收藏多点能量慢慢用。

一旦怀孕了，大部分准妈妈都会更明显地感觉到脑子变笨。据说准妈妈失去的脑部能量主要是在数学和逻辑方面，它们要在生育后才能恢复。大脑的算计会消耗太多能量，并且可能使准妈妈们缺乏睡眠，不要也罢。

正常女性的高温期不会超过 14 天，这意味着高温持续太久本身也是有风险的，然而有一天你烧上去了再没下来，并超过 18 天，这就是很重要的怀孕征兆了。

从此，你要开始融化所有的积蓄给那个孩子，甚至连身体里积攒了几十年的垃圾也会趁此被清除出去。

最好的状态是，当这个过程结束后，你的身体恢复到一穷二白，虽然很虚弱，但却很干净。注意，这可是养颜的最好时机喔。

往空房子里放东西是很容易的，特别是在这个食物充裕的年代，而打扫一个堆满杂物的旧房子则十分困难，分清哪些该扔、哪些不该扔就伤透了脑筋，想要扔的，比如油烟机上的油垢，却不是那么容易清扫下来的。

人在年轻的时候，总是很乐意扔旧东西，脏了、过时了的就看不顺眼，就想换个新的，而老年人，什么都舍不得扔。所以年轻人的房间有现代极简风格，老年人的房间则杂物繁多。

人对房间的态度正是他们对身体的态度，年轻人的基础代谢活跃，垃圾很容易就扔掉了。老年人则基础代谢降低，吃得再少，废物也难以排出。

对于女人来说，这个扔和不扔的转折点，往往就发生在生育期。平日里很大方舍得的女人，若生育高温期这一关烧得不够厉害，身体就会变得吝啬至极，什么也不扔，发胖和高血脂症状，正是始于此时。

所以，准妈妈们可要引起注意啦，想要30过后还是艳光照人的小美女，那就疯狂地烧上一次，把废物全部丢掉吧。

多闻宝宝的气味比通草更能催奶养颜

猫曾接触过一些胖得比较厉害，或是有高血压、高血脂的老年人，问及何时开始发胖。大多回答：生过宝宝后。更多的是回忆道：生完宝宝后进补很多汤水，却没能下奶或奶水很少。像民间说的，全补进妈妈肚子里了，那之后就开始发胖，并且随便吃一点就胖，血压血脂也跟着上来了。

一般产妇只要一能吃，鸡蛋、猪蹄、鸡汤就都上来了，一碗接一碗地往肚子里灌，那叫一个苦啊，都是油腻而且含胶质比较多的食物，很不好消化的。

然后月子里还不许动，动不动就逼你上床躺着，差不多一个月见不到阳光的。也不怎么让抱宝宝，怕妈妈腰痛。

猫觉得这简直是不可思议的月子习惯，非人的生活。如果猫有机会再生一个宝宝，决不再忍受这类民间月子陋习。

猫一定争取孕前补足营养，因为高温的时候，人的脾胃也会比较弱，这时进食油腻、高蛋白的食物，吸收会比较差，肠胃也会不舒服。此时，猫宁可以粥、面类等软烂好消化的食物爱护脾胃，即使要吃鸡、猪蹄，也决不用填鸭方式。

月子里依然要温和地活动、晒太阳，没有活动和阳光，体温就不够高，烧得也就不够彻底，就算进食再多补阴类食物，却用什么来融化果冻、造就母乳？因此，母乳实在下不来时，坚持热敷乳房也是一个非常好的主意。

另外，还要争取有机会就抱宝宝，宝宝的气味，比通草更有效。现在好多娇气的妈妈动不动就把宝宝扔给月嫂或长辈，没有孩子的气息，母乳自然下不来。而且女性的生理期很快就恢复了，应该发上两年的烧一年就停止了，体内积累的垃圾再也无法排出去了，想要立刻变得洁净如初，怎么可能？

破茧化蝶衔春来
——母乳喂养是产后恢复 S 型的关键

> 想当年，猫也是在断奶后，提心吊胆地观察了好多天，直到发现一切如常，麻袋就像当时的股市一样站得稳稳的，那叫一个侥幸啊。母奶牛下岗之后，终于逃离炼狱，混到了一个美满结局。

猫是最彻底的母乳喂养倡导者，因为母乳不仅是宝宝最好的食粮，更是妈妈最好的减肥方式和新生机会。

在母乳喂养的数年内，是的，数年，如果可能，不要急于断奶，孩子们甚至到 3 岁还在留恋奶嘴，这是自然的东西。小蔷薇 1 岁零 8 个半月断奶，一年后还常常惦记她的旧粮仓，她甚至经常问妈妈，何时再生一个宝宝，到时她好"我吃一半，弟弟吃一半"。

"在哺乳期里，你会不会觉得自己苍老得特别快，而且断奶后，胸部变得有如麻袋？"

第一个问题，是的，哺乳消耗了你太多的阴液，那些脂肪、胶质类在长达数年的炼狱期都融化成水。失去了它们的支撑，女人会看起来比较干，不饱满。但这只是暂时的，断奶后大概半年到一年，夜里多服用些补阴类食品，保证充足睡眠，避免会令自己上火的压力和烦躁心情，身体状态很快就会恢复，甚至会比产前更好看。毕竟，填一个空麻袋是比较容易的。

第二个问题，不会，如果你懂得正确的断奶方式。

喂奶直至宝宝1岁半以后，大多数妈妈就会很顺利地断奶。现在这样的异类可能比较少，大概妈妈们也会担忧：喂那么久，只怕将来那麻袋难看到惨不忍睹了……

麻袋之所以难看，多是由于断奶方式不正确。如果在宝宝半岁的时候断奶，此时乳房泌乳量相当大，断奶时只怕会痛苦异常，你要忍受几天涨奶之痛。但就那几天，胸部就会全变形了。

正常乳房里有脂肪和乳腺，女人怀孕后，乳腺组织大量增生，及至哺乳时，乳腺进一步增生，脂肪逐渐消耗。此时如果忽然断奶，乳腺忽然萎缩，脂肪、胶质来不及跟上，麻袋就倒下来了。

如果哺乳过程足够长，到后期，母亲的泌乳量已变得极小，乳腺已渐渐萎缩。营养跟得上的话，乳房的脂肪和胶质已同步增加，待乳房慢慢恢复到产前的状态了，此时再断奶，对胸部的影响就微乎其微了。

哺乳后期，母奶牛的生理期也恢复了，结束了炼狱期的女人，又有了低温期的庇护，吃什么都能吸收，这时若注意饮食，补充胶原及蛋白质类食物，在未断奶时，已完成了胸部的定型，再也不用担心它变成麻袋了。

想当年，猫也是在断奶后，提心吊胆地观察了好多天，直到发现一切如常，麻袋就像当时的股市一样站得稳稳的，那叫一个侥幸啊。母奶牛下岗之后，终于逃离炼狱，混到了一个美满结局。

果树结果后的施肥计划

> 像猫一般的女人，像结完果的树，叶子发黄，枝丫乱长，最适当的施肥计划，不是往脸上抹什么，而是适时补充雌激素。开花的树当然也喷叶面肥的，不过最要紧的还是要在泥巴里埋够鸡便便。

唐杜牧有《怅诗》：

"自恨寻芳到已迟，
往年曾见未开时。
如今风摆花狼藉，
绿叶成荫子满枝。"

生子，成为女性生命中一个重大转折点。

植物，拼了命要生长、开花，不就是为了结个果子？谁成想开花和结果，却是一对死敌。

植物的开花是需要很大能量的，花农修剪掉过多的枝叶，把能量都留给花，花儿才能开得好。每次开过一轮花，追肥稍不及时，植物就开始黄叶子、掉叶子。很少见到长得高大的木本植物能够一年四季开花的，开那样多的花，根本没时间长个，花期长的，总是小个头的草花、会借力的藤本花。

而想要结果，不但枝叶要剪，开得过多的花，也得统统剪掉。若是只想让花开个没完，花一谢就得清理掉，根本不能给它结果的机会。

— 211 —

家里的石榴花，开得好好的忽然不开了，仔细一看，这坏家伙，偷偷摸摸给俺结出个小石榴来……

掌管女性一生最重要生命周期的两种激素，雌激素和孕激素，刚好是一对死敌，雌激素管开花，孕激素管结果。在月经周期的前两周，雌激素带给女人光润细腻好脸色，而后两周，花谢了的女人变得皮肤粗糙暗沉、易长痘痘，准备"风摆花狼藉"。

现今女性更容易在生育之后惊觉自己的雌激素水平一落千丈，或者因为生育时间普遍推后，使生育后的疲惫正逢人生之初秋。

如猫一般的女人，就像结完果的树，叶子发黄，枝丫乱长，最适当的施肥计划，不是往脸上抹什么，而是适时补充雌激素。开花的树当然也喷叶面肥的，不过最要紧的还是要在泥巴里埋够鸡便便。

MM们肯定也知道猫说过的根据月经周期进补的东东。说实话，在30岁之前，也就是喝点豆浆、益母草红糖水就差不多啦。不像结完果子之后（准确地说是断奶之后），疲惫的果树要强力施肥。

断奶之前，建议你忍受非女人生活，是什么支持着你一天24小时上岗、夜里起来N次喂奶换尿布？这是绝对"阳性"的、以消耗为主的生活。

宝宝大了，断奶了，有了更多的玩耍空间，才是恢复女性阴柔之美的时机。

猫言猫语

最佳进补方案：炖雪蛤，或是蜂王浆。但不赞成已有乳腺增生类病症的MM使用本进补方案，身材瘦弱者最宜使用。

外表不要粗糙，内心更要华丽

> 棉布是太粗朴的东西，它们可以放在表面，而内里一定要够华丽。就像一个人，外表不一定要像琢磨过的玉那样光滑发亮，怎样粗糙都可以，内里则一定要有"料"，不要让那赌玉的看准了你，一刀下去无一物，赔个精光。

现代女性有了新的生活方式，生活似乎是华丽而令人激动的，迷乱的。不再像我们的母辈要整日与针线为伍，想起来颇有解放了的扬眉吐气之感。

其实针线这个东西呢，大做伤神，小小地玩一票，却是怡情静心的好法子。老外的研究表明，偶尔做做针线活，竟能达到如练习瑜伽一样的静心效果呢。难怪女红竟被称为"手指瑜伽术"，原来可以借手指的感觉忘记心的烦恼。

做姑娘的时候，就喜欢针头线脑。针线和布料意味着什么？是肌肤的感觉，闭上眼也能体会得到——沉沉的滑腻感，是重磅的真丝；很朴实的温暖，呵呵，棉布；这一块软而毛茸茸，是法兰绒；粗朴的纹路，是亚麻……一块一块地感受下去，呵呵，有雪纺、天鹅绒、牛仔、羊毛呢、珊瑚绒、灯芯绒……曾经有一次，约上朋友去位于绍兴柯桥的中国轻纺城游玩，一家店一家店摸过去，真是手指的盛宴啊。

有时候也会摸着毛线发呆，用于钩织花边的蕾丝线，凉凉的，而织毛衣的马海毛则蓬松松地很温暖……光玩这些不同的材质，就能度过好多快

乐的时间。

其实还有很多像做针线活一样让心踏实、让容颜宁馨的好办法，像给自己和家人烘培小蛋糕啊，做 DIY 浮蜡，做插花啊等等。因为，任何既开心又养颜的方法，都值得我们用多多的时间去消磨赏玩，于是，最普通的事情也会变得回味无穷。

玩针线最大的快乐就是淘，在布料市场或是淘宝，花很少的钱就可以淘到小小的布头、花边或者纽扣什么的，小小地惊喜一下。

读大学的时候，交了伙食费和书费后，口袋里空荡荡的很可怜。可第二天有舞会，穿什么去呢？怀着梦想的可怜灰姑娘，淘到了一块大花的棉绸，舞会前夜，加班赶制一条大摆的长裙。当然是不会有缝纫设备了，只有一个 10 块钱的手动缝纫机，按一下缝一针，就这么吱吱嘎嘎闹到深夜，漂亮长裙终于完工了。

参加舞会的女孩们都有碰上王子的梦想，可惜这梦想总也不能实现，深夜的狂欢过去，宿舍里 7 个女孩子无一例外脚上磨起大泡（平时不习惯穿高跟鞋的啊）。南瓜车总也不来，只得脱下磨脚的鞋，拎着裙尾，赤脚夜行回宿舍。

但针线的惊喜，远比贫穷的烦恼多：淘到过一块 10 块钱的碎花灯芯绒，两头一围，加上松紧带，就是田园风格的裙子，配 T 恤、球鞋走了好多地方；淘到过颜色很粉嫩的乔其纱，做成了宿舍里穿的"半真空睡衣"；还淘到过极小的一块售价 5 块钱的漂亮真丝，拼一下，竟然能做出可爱的背心裙。

面料糙，猫的手艺绝不糙的喔，即使是 5 块钱的真丝或纱，经过猫的立体剪裁，版型也会十分好看。真丝的滑润和纱的轻盈总能让猫产生一种感觉：生活是奢华的，任何时候都是如此。

毕业以后，有了自己的 20 平米小空间，便做针线美美自己的简陋小屋。亚麻布加上本色的花边，如果有空闲，再绣上几针十字绣，就是十分乡村风格的夏日靠垫。到了冬天，则改成泰迪小熊的毛毛布，或者圣诞风格的鲜艳靠垫。

　　更多的时间，是把一张床往更舒服里改造。怎么也看不上两面是棉布的被套，一定要拆掉其中一面，将贴身的棉布，改成法兰绒或者棉绒。绒布细软的小毛毛贴近皮肤，每次钻进去都惊叹：呜呼，生活太美好……连带睡衣也都改成棉绒质地（婴儿服的面料来的）。

　　棉布是太粗朴的东西，它们可以放在表面，而内里一定要够华丽。就像一个人，外表不一定要像琢磨过的玉那样光滑发亮，怎样粗糙都可以，内里则一定要有"料"，不要让那赌玉的看准了你，一刀下去无一物，赔个精光。

有素颜品质的东西最合身

现在谁也不缺奢侈品，细致而缓慢地来对待自己的心，才是最奢侈的。

做了妈妈以后，这针头线脑的生活，就要无聊得多。宝宝衣服一会儿扣子掉了，一会儿松紧太松或太紧，一会儿太长了改短，太短了要加长……陷入一地鸡毛当中。

那吵闹一天的小肉球睡着了，妈妈就坐在她身边，缝啊缝……织啊织……

缝纫的声音是很好听的，谁听过？猫最爱那声音，尤其是妈妈缝纫的声音。

小时候将要沉沉入睡时，妈妈在旁边点一盏微黄的灯，陪着小猫。咣当咣当……是踩缝纫机的声音；如果妈妈在织毛衣，是毛衣针相碰发出的细微的丁丁声；如果在绣花，绣花针穿过紧绷的布料，会有"噗"的一声闷响；也有些时候听到棉线"哧哧"穿过厚厚的棉花，是妈妈在缝棉被，梦中可以感受到新打过的棉胎好厚，好暖和。

既然针线让人感觉到一地鸡毛，为何摆脱不了它？因为所有的工业品，都不能够只为一个孩子生产，只有妈妈手缝的东西最合身，含有素颜的品质。

婴儿时期的小蔷薇总买不到袜子穿，因为这家伙脚特别小，小腿却肉嘟嘟地特粗。买来的袜子，不是脚长得空荡荡，就是小腿处不够宽松，总要勒得小家伙脚踝上出现红红的印子。

只得妈妈亲自上阵，织专为蔷薇设计的"靴袜"，其实就是手织的棉袜，在脚踝以上开口，像靴子一样，订上双排扣，可以调节松紧。

猫不曾在任何地方见过这样的袜子，五师自通就学会织了。要说母亲的创造性是无限的呢，却只供应了那一个孩子。

这些天就一直忙个不停，忙于对付小蔷薇的 N 条裤子，小宝宝一个人一个样，腿长的可能腰细，腿短的却有个大油肚，所以松紧总不会特合适，要改。加上孩子长得特别快，裤子一会儿就短一截，马上买新的多少有点奢侈，节约型社会么。

于是，没完没了地加长改短，没完没了的针头线脑。小蔷薇喜欢得不得了，趁妈妈不注意拎起一个线团跑出去，等妈妈追回来，线团已经变成一团乱麻。

能够整理这团乱麻的，只有妈妈这样的女人。即使生活已经忙得不可开交，妈妈晚上依然有耐心为小蔷薇缝上一条手绢。

上了两岁后，小男仔头蔷薇也学会爱美，最为小资的举动就是，吃饭的时候，一定要拿一张湿纸巾在手里，吃一口，装淑女地擦一下嘴。

用湿纸巾太浪费，不可再生资源来的。既然小资，就小资到底，改用手绢吧。没想到，逛了多家超市都买不到手绢，现代社会谁用这个？

幸好有厉害的妈妈，在网上淘到全棉的华夫格（一种棉织品，比棉布厚，表面织有凹凸花纹，有点类似洗碗布的粗纹路），是粉红色小格子和蓝色小树苗的图案，可爱得很。缝成双面的，四周缝上纯棉花边，就是一块够小巧厚实的手绢。给蔷薇用个安全别针别在衣服上，随时随地擦汗擦嘴，真是方便极了。

唔，听上去真是有点啰唆，用纸巾或毛巾，岂不省事？

啊，不是这样的，妈妈缝的，还缝有很精致的花边，那份心意，岂是用钱来衡量的？何况小姑娘用手绢代替纸巾，从小就讲卫生且有环保意识，妈妈的教育也就蕴含在其中了。

华夫格的质地和花纹很细腻，妈妈缝完手绢之后，忍不住再多缝了 N 条用来洗脸，感觉洗得很干净呢。还送了两条给隔壁的妈妈，再附上一块猫自己做的红酒皂，简直要把她乐晕，现在谁也不缺奢侈品，细致而缓慢地来对待自己的心，才是最奢侈的。

最近的手工，是缝母女两个的春天的长睡衣，也是用的超级可爱的宝宝棉绒，要泡泡袖加花边那种。想起 18 岁在大学宿舍里缝长裙的灰姑娘时光，希望有一天自己能过上公主生活。现在生活中有了个小公主，妈妈依然是这小公主的侍女来的。

后记　找到最适合自己的生活方式才会永远美丽

前段时间经常在网上碰见热心的读者们，说把猫的第一本书《31岁小美女的养颜经》放在床头，翻到烂了，搞得俺受宠若惊。

也有MM在感恩节给我发邮件，说要感谢我。其实对于写字的人，写的东西一定要有人看，这过程才完整，是大家让猫完整了，猫才是应该感恩的人。

猫不希望大家过于认真地把这些文字当一本书来看，宁可把它当做女人之间的聊闲天，扯八卦，那是外人绝不可能理解的密友时光，扯得高兴了可以狂笑，看上去不顺眼的，可以随便批。

你说密友聊闲天要达到什么目的呢？千万不要想着，我和好朋友聊了一会儿天，就能成为外出得厅堂、内下得厨房的超人，或是优雅智慧的女达人之类。

因为你的朋友猫过去算得上邻家女孩，现在顶多是邻家的家庭妇女，不是超人达人一类稀有动物来的。

如果老是想要成为达人，就像用他人的眼睛衡量自己，用他人的标准拔高自己，这样就会失去"人生快乐至上"的本意。

说到底，女人只要让自己满意，让自己舒服，让自己觉得时刻生活在怡然自得的状态中就好了。你要勇敢地说：俺就是这个样子，活得挺好，我才不想变成别人眼中那个优秀的女人。

有时候女性的感性思维更强些，有时候她会有一些独特的、敏感的或是任性的生活方式，不一定每个女人都是杂志上的完美太太。

不合大众眼光的女人，也必定有她的可爱之处，与其急于改变，不如

去寻找，寻找到那种最适合自己的生活方式，这才是女人芬芳美丽的真正源泉。

如果你看猫的书觉得有乐子，那就经常看，别把它当《圣经》，别试图改造自己。

聊天这种东西，就是怎么舒服怎么来的，每个人都在表达自己，不一定模仿他人。咱们可以穿着睡衣聊，泡在澡堂里聊，喝着小酒聊，坐在马桶上聊，能够陪你一段或香或臭的时光，猫觉得真荣幸呢。

猫猫

2009 年 3 月 1 日

最体贴中国女性肌肤的
内外保养秘法

有别于所有明星美容书的
女性必备养颜真经

这是一本有别于所有明星美容书的女性必备养颜真经，作者一猫一菩提总结了来自历代中医的养生精髓和个人10年的亲身体会，主张美容固然重要，但更重要的是养生，真正的美丽是由内及外、内外双修的，并首次提出"保暖美容"与"经络养颜、呼吸养颜、心情养颜"一招三式新概念，在书中，作者告诉了姐妹们以下切实并有效的方法：

1、大多数化妆品（尤其是昂贵化妆品）是厂商与代言明星合伙制造的巨大谎言，它对你容颜的改变可能会有几分钟，但更可能给你留下一生的遗憾。

2、每天一次腹式呼吸，再按摩脸上的四白、颈部的淋巴区、腰部的肾腧以及肾经、膀胱经，每天3分钟，试试看，你会让明星也羡慕你的脸。

3、养颜的根本就是滋阴。所谓养颜，就是从皮肤到内脏都要保养。所谓滋阴就是滋养身体内外的水分。

4、对女人来说，没有比化妆品和面子更重要的东西了，只有找到最适合你的养颜真经，你才能拥有迷人的皮肤和流畅无比的身材，从而获得一生健康、幸福的通行证。

5、世界是公平的，如果你不懂由内养外的道理，如果你不懂腰部管理，时间会很快在你脸上留下痕迹。请记住：你现在怎么对自己的脸蛋和身体，它以后就怎么加倍报答你。

还每一个女性的

天生容颜

保养中国女性容颜及身心的

美丽生活实用之书

　　本书是继《31岁小美女的养颜经》之后又一本以中医方法保养中国女性容颜及身心的美丽生活实用之书，书中荟萃了多种天然美容养颜秘方，让您用最简单、最安全的方法最快达到隆鼻、丰胸、瘦身的效果，另外，书中提出的"观念养颜、素质养颜、气血养颜、细节养颜"的全新4大美容观念，全方位地诠释了女性养颜、养生、养心之大道。

　　本书附赠大幅全彩女性标准正面经穴部位图，还将为你献上：

　　4种肌肤天然滋养护理法，让您的皱纹迅速消失，痘痘彻底绝迹，粗糙的肤质变得娇嫩、水灵，发暗、泛黄的肤色变得白皙、闪亮。

　　11套随心自助养颜法，告诉您打造美丽要从打造生活中的每一个细节开始，只要您处处留心，处处皆会令人怦然心动。

　　35种美容的家常食物，让您花最少的钱并在最短时间内补足气血。气血一足，人自然年轻很多，不用任何化妆品，360度，怎么看怎么美。

　　21套中医的贴身排毒养颜方案，让您全身的经络都通畅起来，从内到外，青山绿水，纤尘不染。

　　6套乳腺和卵巢系统自我保养方法，让您从根上阻止年华的凋褪。

　　15个穿衣打扮小诀窍，让您在任何场合都能彰显独特气质，容貌与品质共长。

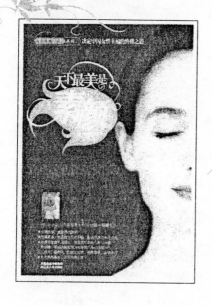

颜随心转，心如菩提

《31岁小美女的养颜经》作者
一猫一菩提新作

现代社会对女人的要求实在过分，要貌比西子，还得蕙质兰心；要厨艺无双，还得是位社交达人，怎么才能做到游刃有余？只能靠心的智慧。今天，猫就慷慨一回，把自己视为珍宝的女人经奉献给大家吧：

1种生活理念：素颜——只有心神闪亮的女人才会容颜不老，化妆品哪里做得到？

9种养颜真法：阳光呼吸法、冬眠调息法、音乐调息法、风水养颜法、素食养颜法、口水养颜法、发酵养颜法、芳香养颜法、周期养颜法，每一种方法都是既养心又养颜的美丽真经。

28种养颜美食：扶桑至宝豆浆、甜蜜杏仁豆腐、晶莹玫瑰果冻、四神银耳汤……不仅让您口齿生香，脸蛋更是水当当！

18种肌肤自助保养套餐：用最适合你的原料，再加上一点点耐心和诚意，就可以做出专体贴你一人的护肤品。

15种芳香美颜配方：茴香美胸油、容颜不老方、桃花白芷油、薰衣草香袋……何物不可入香？在香氛里小憩片刻，心就如菩提芬芳。

所谓养颜，就是养的素颜；

所谓素颜，就是使我们的容貌、肌肤质本洁来还洁去；

所谓质本洁来还洁去，皆因我们的身心来自神赐，我们唯一要做的就是努力祛除我们身心的烟火气、工匠气、脂粉气，让时光回转，风吹草低，美丽自现！

如是平等，无有高下

《内因决定外貌——从丑小鸭
到白天鹅的美容秘方》作者
南丘阳新作

女人对自己身体的用心程度，不仅折射出她的人生态度，更能够决定她的一生。在用心呵护好自己身体每个部位的过程中，女人渐渐地认识自己的身体，发现自己的优势所在，慢慢变得自信；而这种自信却可以成为一生的资本，为女人赢得美好的生活、美丽的人生！

从皮肤的娇嫩、脸颊的圆润、脸色的红润、头发的光泽、手脚的细嫩，到姿态的挺拔、精神的圆满，再细到每一个脏腑，每一根神经，每一个穴位，甚至每一个毛孔……细节决定女人的美丽。

本书为每一位热爱生活的女性奉上：

1、从头到脚的全方位保养大法，让女人身上每一寸肌肤都焕发光彩，从对自己身体的信心逐渐生发出对生活与人生的自信，成就女人真正的幸福；

2、12种身心共治精油保养法，手把手教会每一位女性，用最积极的生活态度、最简单的方法，成为众人眼中优雅得无可挑剔的贵族；

3、30个中医美容小妙招，让你花最少的银子，在最短的时间里内外兼修，养足气血，由内而外透出令人羡慕的自然之美。